Guillemette Isnard

LA MÉMOIRE
dans tous ses états

Méridien

Les Éditions du Méridien bénéficient du soutien financier du Conseil des Arts du Canada pour son programme de publication.

Données de catalogage avant publication (Canada)

Isnard, Guillemette, 1957-

La mémoire dans tous ses états

ISBN 2-89415-144-6

1. Mémoire. 2. Mnémotechnique. I. Titre.

BF371.I86 1995   153.1'2   C95-941376-6

Infographie : Atelier de composition MHR inc.

Révision linguistique : Agnès Champagne
Sous la direction de : Christiane Abboud

Dépôt légal – Bibliothèque nationale du Québec, 1995.

Imprimé au Canada

Un grand merci à Lorraine, qui a tapé le manuscrit, à Émilie qui a choisi les titres, un sourire à tous mes amis, qui, par leur amour, leur amitié, leur prière m'ont accompagné, Pierre, Gilles, Yves, Pierre-Étienne... et tous ceux que je ne cite pas.

Un clin d'œil au-delà des mers à tous ceux que j'ai quittés, famille et amis, Simone, Jean et Janine Isnard, Christianne, André..., que j'ai quitté mais que je n'ai pas oublié.

Introduction

Un troisième livre sur la mémoire, à la suite de deux livres qui ne m'ont pas satisfaite. Deux livres de réflexions, recherches, tâtonnements, qui n'ont pas tout à fait osé refléter leur auteur. Un auteur qui n'a pas tout à fait osé, ou n'a pas voulu se détacher de son éducation, de ses partis pris, qui voulait encore, ou espérait, l'approbation de tous.

Un troisième livre qui, je l'espère, vous permettra de partager la joie et la plénitude ressenties lorsqu'on atteint une étape où les notions de mémoire se rejoignent sans s'opposer, où des idées nouvelles et des techniques simples, expérimentées depuis des années font finalement leurs preuves. Et quand bien même leurs fondements théoriques ou leurs preuves scientifiques seraient insuffisantes, nous rappellons les mots du Professeur Laborit dans la préface de mon premier livre : « L'efficacité clinique, quand elle existe, a-t-elle besoin, à la limite, d'une défense théorique ? »

Mon premier livre s'intitulait *Mnémosyne, la mémoire vivante*. Mnémosyne était une déesse qui témoignait de l'origine surnaturelle de la mémoire.

Fille de Gaia, la Terre, et d'Ouranos, le Ciel, Mnémosyne, déesse titane, s'unit à Zeus et donne naissance aux Muses, inspiratrices des poètes. Mnémosyne, « aux beaux cheveux », accorde le savoir et la sagesse, chante « tout ce qui a été, tout ce qui est, tout ce qui sera ». Mnémosyne apporte au devin et au poète le privilège de voir la réalité immuable et permanente, de pénétrer la mémoire universelle, où l'âme puise sa nourriture d'immortalité. La mémoire permet de descendre au fond de l'être, de découvrir la réalité originelle dont il est issu et de saisir le devenir dans son ensemble. La mémoire n'est plus le survol du temps mais l'évasion hors du temps.

Et nous ?

De cette origine surnaturelle qui dépasse notre entendement, comment arrivons-nous à ces caprices d'une mémoire résolument emprisonnée dans le temps et dans le cerveau humain ?

La biologie ne suffit pas pour rendre compte de la complexité infinie d'une mémoire humaine et, puisant à la source de données scientifiques «prouvées», nous restons parfois impuissants devant la réalité. Nous puiserons alors à une source voisine, des réflexions différentes, souvent intuitives, peut-être erronées, mais qui, jointes à une activité expérimentale de plusieurs années, se montrent efficaces dans la vie de tous les jours.

Les deux premières parties du livre explorent les racines de la mémoire, dans notre cerveau, dans notre corps, dans notre passé et dans notre vieillesse. La première partie, CRÉER SA MÉMOIRE ; UNE QUESTION DE PERCEPTION, évoque cette liberté que nous avons de faire de notre mémoire ce que nous désirons.

Mais la deuxième partie, VIVRE SA MÉMOIRE, UNE QUESTION DE CHOIX, relativise cette liberté. La question se pose : l'homme crée-t-il sa mémoire ou est-ce la mémoire qui crée l'homme ? Notre mémoire métabolique, collective, culturelle, familiale, etc. nous influence plus que nous le souhaitons.

C'est ce qui nous permet d'établir les fondements suivants de la mémoire.

La mémoire est intellectuelle : résolument humaine, liée à notre vie, nos décisions, nos expériences, elle reste notre point d'appui pour affronter le monde et participer à la vie.

La mémoire est émotive : langage plus subtil, l'émotivité entoure d'un halo imprécis et intemporel des événements limités dans le temps et dans l'espace.

La mémoire est état d'esprit : cet état d'esprit est constitué de tout ce qui a contribué à former notre personnalité depuis la nuit des temps. Nos mémoires familiales, celles liées à notre pays, notre race, notre communauté d'appartenance, à l'influence lointaine des règnes minéral, végétal, animal, aux conditions géoclimatiques d'une région, d'un continent… autant de données déterminantes et méconnues qui jouent un rôle dans la création de cette mémoire que nous voudrions exclusivement nôtre.

La troisième partie, ACCEPTER SA MÉMOIRE ; UNE QUESTION D'AVENIR raconte une petite histoire des grandes attitudes humaines selon cette approche de la mémoire, où l'éternité pénètre le temps, nous laissant souvent déçus et impuissants face à notre destinée. Nous sommes souvent ce que nous ne voulons pas être et rarement ce que nous voudrions être. Devons-nous accepter cet état de fait ou lutter contre ?

PREMIÈRE PARTIE

Créer sa mémoire ;
une question de perception

Cultiver les sciences et ne pas aimer les hommes, c'est allumer un flambeau et fermer les yeux.

Proverbe chinois

La mémoire :
fonction psychologique

La mémoire est une fonction de mémorisation : c'est la capacité de retenir des mots, des chiffres, des idées. D'élaborer des concepts, de rêver, d'imaginer, d'anticiper l'avenir en s'appuyant sur le passé. Cet aspect de la mémoire fait référence à la déduction logique, aux activités structurées et aux habiletés cognitives propres à chacun de nous. La mémoire est une fonction psychologique quant à la base de toute réflexion et de toute forme d'intelligence. Elle nous apprend à tirer parti de nos expériences, de nos joies, de nos échecs mêmes. Elle nous accompagne tout au long de notre vie, elle est sollicitée dans notre quotidien, depuis nos simples gestes automatiques jusqu'au désir de profiter pleinement de cette explosion scientifique et culturelle, de cet échange entre peuples et traditions, de cet accès à l'univers, que, faute de mémoire, nous délaissons.

Nous préférerions la considérer comme une simple fonction, que nous pourrions négliger comme un rhume, accuser comme une voiture en panne, soigner par des médecines sophistiquées, ou bien, et c'est déjà un pas en avant, muscler comme un biceps. Pourtant, au-delà des maux et des muscles, admettons que l'on retient plus facilement le numéro de téléphone d'un ami que des impôts, une matière enseignée par un professeur que l'on aime que par celui qui nous a pris en grippe, même si pourtant, les processus de mémorisation des chiffres et des idées sont exactement les mêmes, quelle que soit notre motivation. Il faut donc déjà relativiser cette notion de mémoire, fonction psychologique ou métabolique, et renoncer ainsi aux exercices purement techniques entraînant une agilité intellectuelle mais masquant parfois une fragilité émotive.

L'émotivité fait son apparition et ne nous quittera plus. Indissociable de nos émotions profondes, la mémoire en deviendra le reflet, fidèle ou déformé.

La mémoire :
reflet de l'émotivité

« On retient bien ce que l'on veut bien. » Cette phrase de la sagesse populaire décrit ce processus où l'intérêt de lire un livre est vite suivi de l'intérêt de l'avoir lu et la possibilité d'en mémoriser le contenu.

Notre vie est plaquée sur ce principe. La motivation d'être et l'intérêt de vivre sont déterminants pour la santé de notre mémoire. La concentration ou la distraction, la motivation ou la démission sont les portiers de notre mémorisation. En partie dépendants de notre volonté, en grande partie guidés par nos émotions plus profondes et parfois insoupçonnables, ces portiers ne sont pas aussi malléables que nous le souhaiterions et il arrive un jour ou « l'on ne retient même plus ce que l'on veut bien ».

Parce qu'il y a ces émotions éclatantes et profondes qui envahissent notre vie depuis ses débuts. Peur, joie, amour, haine..., émotions tranchées ou demi-teintes nuancées, mépris, nostalgie, respect... ces émotions sont indissociables du moindre souvenir vécu et du moindre geste porté. Année après année, elles préparent la fixation de nos souvenirs, trient ce que nous gardons, rappellent ce qui était enfoui et pèsent de tout leur poids même si nous voulons les ignorer.

Heureuses ou malheureuses mais acceptées, ces émotions jouent leur rôle de portiers de la mémoire et un va-et-vient s'instaure entre ce que nous vivons, comment nous le vivons et ce qu'en fait notre mémoire.

Heureuses ou malheureuses mais mal acceptées (même le bonheur s'accepte mal quand on craint tant de le perdre) elles exécutent un travail invisible de sape au niveau du cerveau dont le résultat finira tôt ou tard par apparaître dans cette marée de neurones. La mémoire devient défaillante au nom d'une émotivité souffrante. L'émotivité est difficile à cerner car elle n'a pas la même notion du temps que nous dans notre aspect rationnel. En effet, un événement possèdera une date et un lieu précis de déroulement, l'émotivité qui l'accompagne peut sourdre bien avant l'événement (sous forme d'appréhension légère, par exemple) et demeurer, halo imprécis (sous forme de crainte vague mais tenace, par exemple) longtemps après que nous ayons digéré le souvenir.

Enfin, bien malin qui pourra faire un tableau juste de la perception émotive. Communes à tous, ces émotions sont perçues si différemment selon chacun qu'elles nous font parfois craindre pour notre raison. La faim, la peur d'un habitant d'un bidonville nous toucherait plus par son contexte sordide que la peur et la faim d'un cadre d'entreprise. Mais nous oublions souvent que l'impossibilité de vivre ou la paix du cœur se rient du contexte pour frapper indifféremment l'un ou l'autre, nous laissant déconcerté devant un enfant pauvre plein de vie et un cadre riche désespéré de vivre.

Devant ces réflexions, les mirages des exercices purement techniques pour améliorer notre mémoire s'estompent. Il nous faut aller au fond de nous-mêmes, à la recherche de ces émotions dont nous sommes issus, avant qu'elles ne nous fassent perdre la mémoire de ce que nous sommes ou voulons être.

Perdre la mémoire : une fatalité ?

Qu'advient-il alors de cette inéluctable fatalité qui nous fait dire : « À mon âge, je perds la mémoire. » ? N'est-ce qu'une fatalité due à l'âge ou à la matière ? Ou devrions-nous admettre que nous préparons notre vieillesse et celle de notre mémoire, fidèlement à la façon dont nous avons vécu. La mémoire est le reflet de notre émotivité, pas seulement une fonction de mémorisation.

Mais pour bien poser le problème, il faut ouvrir plusieurs voies de réflexion :

Est-il vraiment représentatif de juger de la mémoire de nos aînés par l'efficacité de leur fonction de mémorisation ? Et surtout de la juger dans des activités qui ne sont pas toujours passionnantes, (tels des tests psychologiques), dans des contextes inusités, (hôpital, école...) avec des outils (déduction logique, mémoire visuelle, informatique...) qui ne représentent pas tous les aspects d'une mémoire forgée depuis 70 ans ou 80 ans.

À cette étape de la vie, la vieillesse, nous passons progressivement d'un monde à un autre, et la mémoire, si nous la laissons faire sans résister, devient peut-être davantage liée à notre ressenti qu'à notre analyse, tournée plutôt vers l'infini via les profondeurs de notre être que sur la finitude des actes quotidiens.

Si nous la laissons faire ! Car bien souvent, c'est une opposition systématique et vigoureuse de notre part pour rester tel que nous étions et la mémoire n'est vécue qu'en référence au passé.

Puis il y a tout un éventail de façons de se plaindre de sa mémoire. L'oubli des noms est fréquemment invoqué. Mais nous remarquons tout de suite que seul le nom est oublié, pas la perception de la personne, son visage, sa façon d'être. Ou bien c'est la notion du temps, de l'espace, des directions à suivre qui font défaut, quand noms et chiffres sont remarquables de précision.

« Plus de mémoire ! » s'écrient mes participants âgés devant l'oubli d'un rendez-vous ou de mon nom.

Mais les peurs ou les idées noires qui tournent chaque soir dans la tête, les soucis qui empêchent de dormir, les mauvais souvenirs ressassés indéfiniment sont eux aussi des mémoires qui côtoient nos défaillances mnésiques. Est-ce que ce sont les mêmes neurones et neuromédiateurs qui sont responsables de l'oubli systématique des noms et du rappel non moins systématique de ce qui nous fait peur ou mal ? Nous citons bien souvent, pour décrire ce phénomène irréversible d'une mémoire qui s'éteint, ces personnes âgées dont la mémoire à court-terme s'efface et laisse place à ces souvenirs indéfiniment racontés avec verve, émotion et qui paraissent si vivants dans l'esprit de celles qui les racontent. Mais pourquoi certains de ces récits sont-ils empreints d'une sérénité nuancée de nostalgie de ce qui n'est plus ou de ce qui n'a pu être changé et pourquoi d'autres ne sont-ils que rancœurs tenaces et plaintes interminables devant des vies somme toute semblables, ni pires, ni meilleures ?

Mémoire oubli, mémoire obsession, mémoire sérénité, qu'est-ce qui nous attend ? Nous choisissons parfois volontairement quand nous décidons de répondre à l'injustice par la haine et de faire de notre mémoire une souffrance. Nous subissons parfois inconsciemment quand nous n'avons pas senti cette émotivité de tristesse nous submerger et couper les ponts avec le désir de vivre. Nous sommes plus nombreux que nous le pensons à nous mentir à nous-mêmes. Si notre volonté emprunte un langage clair, «je veux vivre heureux avec une mémoire en forme», se glisse un état d'esprit subtil et désespéré qui n'y croit pas et chuchote : «À quoi bon ?» Acceptons alors, en dépit des exhortations d'une civilisation qui base tout sur l'intellect de quitter un instant cette apparence de mémoire pour laisser vivre, du fond de l'être, une mémoire spirituelle née de perceptions intuitives. C'est ainsi que j'ai décidé de travailler avec mes participants. Qu'ils soient enfants, grands ou très vieux, ce sont avant tout des êtres vibrant au gré d'émotions, riches ou nuancées qui façonnent leur mémoire de tous les jours et la dernière mémoire d'un soir.

La mémoire : un état d'esprit

Bien sûr, la mémoire nous sert d'agenda de nos faits et gestes et bien sûr, la mémoire reflète notre émotivité. Que de différences pourtant entre deux êtres humains ! Et nous de répondre : « C'est de famille, ou de race, ou de pays... », entrant dans un domaine subtil fait d'hérédité, de mémoires collectives, bref de mémoires du monde. C'est ce sentiment d'appartenance à un pays, à un peuple, à une famille qu'il nous est difficile de percevoir par l'intelligence et les sens. C'est ce tempérament, ces attitudes qu'on s'amuse à retrouver chez les nôtres de génération en génération. Est-elle génétique, cette mémoire si subtile qu'on ne peut la saisir ou est-elle « atmosphère » qui influence l'être sans le déterminer ? Qui l'oriente au sein de sa famille vers une dominance ou une répulsion de tradition, qu'elle soit musicale, intellectuelle, athlétique ? Qui l'influence aussi à vivre dans la haine et la rancœur accumulées depuis des générations, dans la peur et l'insécurité accumulées depuis des siècles, dans une tristesse et une résignation de plusieurs millénaires ?

L'enfant, avant même d'avoir vécu pour son propre compte sera habité par des mémoires de joie, de peine, de peur..., ni perçues, ni exprimées, qui ne deviendront palpables que lorsqu'un événement de la vie quotidienne leur aura donné naissance : la joie d'un cadeau, la peine d'une punition, la peur d'un chien qui attaque.

L'être humain, grandissant en âge, en émotivité, en intellect, se fait le point de rencontre de ces mémoires collectives, qui deviendront, l'espace d'une vie terrestre, les siennes dans un pays, un peuple, une famille donnés.

Cette mémoire, collective, plurielle, je l'ai nommée « état d'esprit » pour bien la différencier de cette mémoire « émotivité ». L'une, émotivité, est liée de près ou de loin aux expériences vécues par l'individu, aux personnes, aux situations.

L'autre, état d'esprit, abolissant le temps, nous déplace à l'origine des êtres, des pays, des peuples, des règnes, minéral, végétal, animal. Issus de ces mémoires, nous ne les « apprenons » pas, mais nous les savons.

Nous livrent-elles à une fatalité sans espoir, ces mémoires qui nous dépassent ? Non pas. Nous étudierons cette mémoire état d'esprit et nous verrons comment s'en affranchir, sans toutefois la nier, s'en protéger sans toutefois l'occulter et surtout comment retrouver sa trace à travers les méandres d'une émotivité qui, prenant appui sur le présent quotidien nous cache un passé, tout aussi quotidien mais hors du temps.

La mémoire et le corps

Le corps a-t-il son mot à dire ? Oui, sans doute. Nous connaissons tous cette fatigue insidieuse qui rend difficile l'acte de penser. La mémoire est aux ordres du corps quand, par manque de sommeil, excès de nourriture ou absence d'exercice les mots ne viennent plus, le discours se fait incohérent et la perception des choses et des êtres se modifie.

Respiration, alimentation, relaxation, sommeil, autant d'éléments clefs qui seront la base de nos mémoires. Qu'un élément se déséquilibre et c'est une cascade de malaises physiques ou physiologiques empruntant la circulation sanguine, les voies nerveuses ou musculaires pour s'exprimer au niveau cérébral en un psychisme perturbé. Un manque d'oxygène peut léser de façon irrémédiable le cerveau d'un jeune enfant ou d'un adulte immergé trop longtemps ; une famine peut provoquer des lésions partielles ou étendues dans le cerveau en maturation d'un bébé. De façon moins tragique, un manque renouvelé de sommeil fait apparaître des hallucinations sensorielles tout en faisant disparaître la mémoire, une tension constante du corps perturbe bientôt l'esprit en installant des maux de tête réfractaires à tout travail.

Commence alors la valse des médicaments, de la tisane la plus inoffensive et réconfortante aux drogues psychotropes, ni inoffensives, ni réconfortantes, en passant par de multiples vitamines, surplus alimentaires et pommades analgésiques, bains relaxants et gels tonifiants.

Tout ceci a sa raison d'être, nous ne saurions le remettre en question. Mais la question qui persiste est la suivante : cette mémoire aux ordres du corps doit-elle nous laisser considérer les mémoires émotive et intellectuelle comme les seules, les « vraies », parfois malmenées par des réactions purement physiques ou physiologiques ? C'est parfois le cas, mais nous connaissons tous ces douleurs, résistantes aux cliniques de psychosomatique qui nous semblent venir de loin, de fort loin et qui demeurent inexpliquées par notre médecine.

Ces douleurs sont « souvenirs » plus intuitifs que raisonnés, qui, faute de langage, empruntent, en un raccourci fulgurant la voie des sens pour devenir souffrance. Mémoires du passé ou mémoires de l'avenir, elles ont choisi comme moyens mnémotechniques nos muscles, tendons, os, système digestif, circulatoire ou respiratoire pour se rappeler à notre bon souvenir.

Une mâchoire contractée est une mémoire. Des spasmes incontrôlables sont des mémoires. Mémoires peu intelligentes mais ô combien profondes, qui établissent leurs racines au-delà des viscères dans le cœur de l'homme. Car si toute souffrance physique peut être le résultat et l'expression d'une attaque immédiate, elle peut être aussi le reflet d'une souffrance invisible, vieille de 10 000 ans imprégnant familles et ancêtres depuis des générations.

« On ne fait de jolis dessins que sur un papier défroissé » nous dit en souriant un proverbe japonais. Les traits d'un visage sombre de mélancolie ou tendu de souffrance ne parviennent plus à la longue à exprimer la sérénité d'un instant paisible. Et quand bien même le reste de la vie serait heureux, cette mélancolie ancienne nous empêchera à jamais d'exprimer la joie.

Une main brutale à force d'être contractée ne saura plus apprécier la douceur de caresser. Et quand bien même la vie serait éternellement douce, le poing restera serré.

Le corps est le reflet d'un état d'esprit plus profond encore que ce que nous avons appelé émotivité. L'atmosphère dans laquelle nous naissons, l'empreinte invisible que laissent nos ancêtres et nos mémoires collectives, façonnent le fœtus puis le petit enfant devenu adulte, comme le vent du large oriente l'arbre du littoral. Penché vers l'est, l'ouest, penché vers la souffrance, la peur, la joie, l'être humain, façonné à l'image de ces mémoires qui le dépassent entreprend alors de délimiter ses mémoires individuelles, tout ce qu'il fait « sien » en oubliant qu'elles étaient « nôtres », s'orientant face au vent ou cherchant à s'abriter de la tempête.

Puis le corps reflète la vie quotidienne et personnelle de l'individu. Tendu ou amorphe, nous laissons intervenir toutes techniques de relaxation, de yoga, de tai-chi, de visualisation... celle qui nous plaît, que nous poursuivons, un peu plus d'une semaine, celle qui, apportant force et tranquillité à notre corps, apaise notre esprit.

Le corps humain devient le point de rencontre entre une mémoire présente de toute éternité que j'appellerai mémoire « état d'esprit » et une mémoire individuelle, propre à l'être humain que j'appellerai « mémoire intellectuelle et émotive ».

Psychosomatique ou somatopsychique ? L'action du psychisme sur le corps, l'action du corps sur le psychisme ? Nous en reparlerons.

La mémoire et les sens

Que serait le monde s'il n'était images, couleurs, odeurs, sensations ? L'homme vibre de toutes parts. Champs électriques, électromagnétiques, rayonnements cosmiques, bombardement incessant de particules qui ne sont pas matière, nous disent les physiciens, constituent notre environnement naturel, environnement inaccessible dans sa totalité, sensible dans certains de ses aspects grâce à la voie de nos sens. Inaccessible car nous ne sentons pas, ni n'interprétons pas les vibrations nommées ultra-sons ou infra-sons, ni les radiations lumineuses, dites ultraviolettes ou infrarouges, les ondes hertziennes, les rayons gamma ou cosmiques.

Sensible, car certains domaines de ces vibrations, se propageant en ondes, prennent forme à travers nos organes des sens pour devenir musique, lumière, caresse, odeur...

Souvent nommées « portes étroites » sur l'environnement, les sens n'ont pas la prétention de rendre absolu l'environnement dans lequel nous vivons, à l'inverse de l'homme qui le décrit en images, sons, couleurs, odeurs... figeant de façon brutale et catégorique un mouvement ondulatoire tout en nuance. Le monde serait perçu différemment si les chauve-souris et les dauphins nous le racontaient dans les ultra-sons, si les serpents nous le faisaient sentir à travers leur peau, si les papillons l'imageaient d'odeurs et si les pigeons nous enseignaient la géographie par les champs magnétiques.

Autant de mondes que d'interprètes, comme si chaque espèce, de la plus petite à la plus grosse, de la plus ancienne à la plus récente, bougeant dans un champ d'ondes «choisissait» au fil de l'évolution la façon de traduire cette énergie selon le milieu et le mode de vie.

Les organes des sens sont diversifiés mais leur origine embryonnaire est la même. Leur nature est donc proche, leur raison d'être semblable : capter des fréquences vibratoires qui, interprétées par le cerveau, deviendront perceptions chez l'être humain. Selon leur fréquence et leur nature, ces vibrations, constituant ce monde ondulatoire dans lequel nous vivons, infini et sans doute éternel, sont captées de façon fugitive et répétée par l'oreille, l'œil, la main, le nez... La devise de ces organes des sens n'est pas toujours «un pour tous, tous pour un»! Une dominance visuelle peut apparaître, étouffant la subtilité du toucher tandis que la qualité de l'audition affectera le goût des aliments. Combattant les uns contre les autres, ils ne serviront pas la mémoire qu'ils sont censés nourrir. S'unissant, ils sont à l'origine d'une mémoire riche de sensations et vivante dans son expression.

Mon but n'est pas de les présenter dans leur description anatomique détaillée mais bien plutôt dans leur ensemble et leurs particularités.

Le goût et l'odorat

Les mémoires olfactive et gustative sont souvent considérées comme mineures, sauf dans certains métiers spécialisés, «goûteur», cuisinier, etc., et sans grand rapport avec une mémoire intellectuelle. Elles sont pourtant ces mémoires silencieuses et profondément émotives, qui, glissant sans transition du présent immédiat à un passé éloigné, abolissent le déroulement temporel de notre vie pour nous plonger dans l'essence même de nos souvenirs. Perdant chez plusieurs d'entre nous l'importance que lui concèdent le bébé et le petit enfant, elles ne jouissent pas moins, dans l'ombre, d'un impact sur l'ensemble de nos relations affectives.

Le goût

Très tôt, le fœtus exprime son accord ou son désaccord pour les substances ingérées par la mère. À trois mois de vie fœtale, le système gustatif est fin prêt et le bébé fait l'apprentissage de la déglutition en absorbant le liquide amniotique.

Goût et dégoût resteront prépondérants chez le jeune enfant et l'adulte dans les choix alimentaires, qui feront grimacer devant un aliment acide, rechercher l'amertume d'un fruit ou savourer un mets sucré. Généralement étiqueté comme peu goûteur avant l'âge de huit ans (n'est-ce pas plutôt une incapacité verbale à exprimer un sens si subtil !), le petit enfant montre des aversions et préférences bien marquées envers le sucré, le salé, l'amer et l'acide. Les papilles gustatives sur la langue et parfois aussi sur le pharynx, l'épiglotte, le voile du palais, reçoivent les molécules de « goût » selon leur spécialisation (discrimination des saveurs acide, salée, amère, sucrée). Les bourgeons du goût, qui prennent place dans ces papilles gustatives, s'activent et leurs cellules sensorielles envoient des impulsions électriques qui voyageront le long de la corde du tympan. Cette corde du tympan appartient elle-même au nerf facial, « grimacer de dégout... » et, curieux trajet, elle est en relation avec l'oreille moyenne. Erreur de la nature ou persistance d'une parenté commune qui nous fait saliver à l'écoute d'un son, apprécier une voix mielleuse ou peu goûter un ton acide.

L'odorat

Dès la naissance, le nouveau-né exprimera par des mimiques faciales différentes, son appréciation ou son aversion devant des arômes fruités ou lactés, frais ou avariés, des odeurs de tabac, de poisson... Entre mère et bébé, l'odeur joue un rôle important dans les liens affectifs qui s'établissent. Un petit enfant de cinq ans reconnaîtra sans hésiter l'odeur de sa mère parmi plusieurs chandails qui lui sont présentés.

Les mimiques faciales, plissement des ailes du nez, élévation des sourcils, relèvement des coins de la bouche, sourire, demeurent chez l'adulte, liées aux images olfactives, même si celui-ci n'accorde plus la même attention consciente à ce qu'il sent. Tous, petits et grands, choisissent ou subissent les réactions affectives liées aux odeurs, les sauts dans l'enfance, ou dans une période émotivement chargée parce qu'une odeur nauséabonde ou paradisiaque flatte les narines. La notion de nauséabond ou paradisiaque est elle-même fort subjective, le fumier de cheval, ou l'alcool médical, la fumée de cigarette ou l'odeur du lait seront source de délices ou d'abomination selon les expériences de chacun.

Enfin, mystiques et philosophes utilisèrent de tout temps les arômes d'herbes, et les encens pour apaiser les passions et provoquer des transes, pour faire naître visions de l'avenir ou paroles du passé.

La constitution d'images olfactives est très riche : quatre systèmes détecteurs captent les molécules odorantes et, selon leur spécialisation, conduisent par des voies distinctes ces informations vers le cerveau, dans le bulbe olfactif où, sous forme d'impulsions électriques, elles sont triées, assemblées, avant d'être confiées aux structures corticales. Une image olfactive est une infinité de réponses d'une infinité de cellules nerveuses touchées par la complexité d'un arôme. Infinité de « dessins » de cellules sensorielles permettant une infinité de perceptions olfactives si difficiles à traduire par des mots. Curieuse relation également entre la vue et le nez : la pupille présente des mouvements, dilatation ou contraction, lorsqu'une odeur est perçue subjectivement. Erreur de la nature, ou persistance d'une parenté qui nous fait « voir » les odeurs ?

Le sens du toucher

Touché !

Quand on joue à chat ou lors d'un combat d'escrime. Quand une parole dure fait naître un creux à l'estomac, qu'une musique, nous prenant aux tripes, fait apparaître la chair de poule. Quand une intention délicate nous fait fondre de douceur. Du plus réel au plus subtil, le toucher répond « présent » et donne une réalité à ce qui n'était que visions, sonorités ou pensées.

Prendre, c'est déjà comprendre et le toucher s'associera facilement à nos autres sens pour qualifier, apprécier ou sursauter. De façon imagée ou « pour de vrai », le sens du toucher, si précoce dans la vie fœtale, demeure toute la vie synonyme de Soi, depuis nos limites corporelles jusqu'au plus profond de l'être.

Pris dans son sens le plus palpable, le tact fait référence aux multiples récepteurs tactiles disséminés sur tout le corps, la peau et les muqueuses. Logés au niveau de l'hypoderme, du derme, de l'épiderme, ils seront aptes, selon leur nature, à saisir des informations tactiles, thermiques ou de pression.

La sensibilité tactile atteint sa perfection au niveau de la main où les récepteurs tactiles envahissent littéralement la peau (2 000 terminaisons au mm^2) apportant une discrimination remarquable. Pris dans son sens le plus subtil, le toucher fait référence aux relations affectives qui s'établissent, via le corps et la sensibilité tactile. Sensation de tension ou de pression qui s'exprimeront peut-être chez l'adulte par une sensation de rejet ou d'abandon. Sensation de contact ferme mais doux, sensation de légèreté qui rendront sûr de lui-même un adulte déjà confiant dans l'amour des autres.

Se sentir bien dans sa peau, un programme de toute une vie. Pour ces enfants nerveux, anxieux, qui présentent des problèmes de peau. Peut-être n'ont-ils pas reçu un toucher suffisant, en quantité ou en qualité, ou l'ont-ils reçu d'une famille anxieuse, aux gestes brusques et saccadés, ou bien encore ont-ils refusé d'emblée ce jeu de mains et de caresses, ouverture d'une vie qu'ils refusent ? De jeunes enfants, qui ont manqué de contact dès les premières semaines de leur vie peuvent voir se dérégler leurs mécanismes physiologiques. Les échanges thermiques avec l'environnement par la peau, la respiration, la transpiration, autant de responsabilités que le fœtus n'avait pas et que le bébé doit assumer. Les massages post-nataux, présents dans de nombreuses civilisations dites « primitives » et qu'on voit apparaître dans les civilisations dites « évoluées » facilitent grandement cette séparation physiologique mère-enfant et favorisent une meilleure respiration pulmonaire et cutanée.

La transition se fait parfois difficilement dans notre société qui est moins celle du porte-bébé que des substituts. L'entourage visuel, sonore, olfactif, le berceau, la nacelle, les chaises, les vêtements, constituent une deuxième mère que le bébé accepte, par force ; ni lui ni sa mère n'en ont le choix. Toutefois, là encore, rien n'est absolu. Un bébé peu touché ressentira profondément des vibrations d'amour tandis que son frère, consciencieusement touché, se sentira coupé de toute relation affective. Au-delà du toucher physique, que transmettons-nous comme message ? Douceur ou dureté peuvent être toutes deux travesties de bonne foi en caresses.

Enfin, le toucher se fait l'interprète de nos émotions : tambouriner d'impatience sur la table, effleurer un corps, caresser une sculpture. Poings fermés, nous ressentons angoisse et colère tandis qu'une détente musculaire s'opère sous l'effet des vibrations du toucher. Et comment ne pas évoquer les liens entre l'audition et le toucher ? Nous nous laissons détendre par le bruit du vent, de la mer, de la pluie, sursautons à un coup de tonnerre ou à une voix percutante, grinçons des dents au son d'un bruit métallique ou d'un crissement de craie...

La vision

L'œil est l'organe des sens le plus complexe et sans doute le plus perfectionné. Fonctionnel dès la période fœtale, il n'achève sa maturation que dans les premières année de la vie de l'enfant. Puis il ne cessera de s'imposer dans notre vie et d'établir une dominance parfois tyrannique sur les autres sens. Nous sommes capables de compenser ce que nous n'entendons pas, ce que nous ne touchons pas, ce que nous ne sentons pas par ce que nous voyons. Et parfois, en dépit de ce que nous avions entendu, pressenti ou reniflé, nous donnons priorité à ce que nous voyons, nous privant d'informations sans doute plus subtiles et moins éclatantes mais qui nous auraient permis d'éviter des catastrophes, tels un incendie ou une tempête.

D'une vision réelle, concrète, faite de couleurs et de mouvements, nous glissons insensiblement à la sécurité affective que nous donnent des yeux ouverts. L'inattendu mais vrai, «une minute, je ne t'entends pas, je vais mettre mes lunettes», l'inquiétude dans le noir qui brise la réflexion, le drame de l'aveugle par accident qui souffre de cette impression de ne pas pouvoir penser ; tout ceci nous conduit au «je vois» pour exprimer «je comprends», liant de façon indissociable la vue, la pensée et l'apprentissage.

Abondent alors, de façon irrémédiablement logique, jeux visuels, exercices visuels, stimulation visuelle, nous rendant spectateurs de notre propre vie. Voyant, analysant, nous ne sommes bientôt plus qu'un reflet de nous-même, éloignés de ce que nous ressentons profondément. Fermons les yeux : renonçant à surveiller cette apparence de nous-même, l'insécurité, la peur, voire des sensations inconnues et non identifiables surgissent. Et si elles étaient «nous» au-delà du maquillage ? La vision pourrait être un enrichissement supplémentaire à cette profondeur de l'être et non un raccourci pour atteindre ce que l'on attend que nous soyons ou ce que nous avons décidé d'être en fonction de modèles proposés et au mépris de ces états d'être ancestraux et universels. L'un et l'autre ne sont pourtant pas incompatibles mais l'un et l'autre devraient échanger leur « point de vue ».

Revenons à la vision visuelle : un faisceau lumineux, composé de photons se déplaçant selon une onde, atteint l'œil, frappe notre rétine et se trouve à l'origine de ces impulsions électriques qui, empruntant les voies optiques jusqu'au cerveau, deviendront images mentales. Un faisceau de lumière nous offre une gamme infinie de fréquences dont nous ne percevons que le spectre de lumière « visible », du violet au rouge, en passant par le bleu et le vert et en s'accordant toutes les nuances et demi-teintes possibles. Résolument aveugles aux infrarouges et aux ultraviolets, nous aurions encore beaucoup à apprendre des abeilles ou des serpents, indifférents aux rayons gamma, rayons X et ondes hertziennes, nous aurions encore beaucoup à apprendre pour considérer le monde dans sa totalité.

Les cellules de la rétine qui captent les rayons lumineux sont de deux types : les cônes et les bâtonnets. Les uns au centre, les autres à la périphérie, ils se relaient tout au long du jour et de la nuit pour nous dispenser la vision éclatante et sans faille lors d'une pleine lumière, la forme générale et nuancée de gris lors d'une faible luminosité.

À la naissance, le bébé est loin d'être aveugle, son acuité visuelle lui permet de distinguer son environnement, surtout ce qui est proche et contrasté. L'intérêt visuel se développe selon l'âge et par étape quant à la complexité, la taille et la couleur. Percevant bien la couleur à quatre mois, sans doute la perçoit-il avant mais il manque de moyens pour l'exprimer. Si une luminosité trop forte, simplement normale pour nous, fatigue le bébé, il semble heureux dans une pénombre où son activité oculo-motrice est grande. Des traditions anciennes de l'Île de Pâques maintenaient mère et enfant dans une presque noirceur pendant une quinzaine de jours après la naissance. Sans doute cette coutume est-elle liée à l'extraordinaire vision dans le noir des bébés devenus adultes. Poursuivant sa maturation selon l'âge, le système visuel évolue dans une complexité physiologique mais également dans une dimension affective. Mère, père, enfant établissent des liens qui détermineront tendances diverses, phobies, goûts affirmés et cette faculté qu'a l'enfant, et même l'adulte, de chercher un refuge auprès d'un objet ou d'une personne, selon son état d'esprit.

Satisfactions de besoins, sécurité affective données par la mère sont le point de départ de cette communication visuelle qui s'étend peu après à l'environnement de l'enfant, que l'on veut, bien sûr stimulant, riche et coloré. Attention à la loi du trop ou trop peu. Néfastes également, un environnement trop riche qui devient lassant, et un environnement trop pauvre laissant indifférent.

Dès l'école, la vision commence à étendre sa dominance sur la personnalité de l'enfant. Les autres sens, spontanément vivants chez l'enfant, perdent leur signification devant l'attention visuelle exigée. Le déséquilibre commence et certains enfants se débattent, développant à leur insu défauts de vision ou difficultés d'apprentissage.

N'oublions pas d'établir ce lien encore vivant entre le toucher et la vision. De même origine embryonnaire, la vision a évolué comme un toucher « de loin » et le toucher imite une vision « de près ». Toucher et vision ont conservé leur complicité de jadis chez le bébé qui s'attend à toucher ce qu'il voit et qui est mis en colère par un objet virtuel qu'il ne peut saisir. À l'inverse, un bébé d'un an, n'ayant à peine ou pas du tout entrevu un objet, pourra l'attraper avec certitude et sans tâtonner dans le noir le plus complet. Peu d'adultes, sinon des aveugles de naissance sont capables de cette performance.

L'écoute

L'œil a choisi la radiation lumineuse, l'oreille a opté pour les vibrations sonores. Et parfois, l'œil et l'oreille se rejoignent quand un bruit strident nous fait voir un éclat lumineux.

Les déplacements d'air, si subtils qu'ils sont imperceptibles parfois, les vibrations de toute nature, les ondes qui en résultent prennent forme à travers l'oreille puis le cerveau en bruits, musique, langage. Et parfois même, dépassant les attributions strictes de l'oreille, envahissent notre vie affective, quand nous sommes à l'écoute d'une poésie, que nous ressentons plus que nous n'entendons, ou lorsque nous désirons passionnément être entendus, reconnus plutôt que réellement entendus.

Double sens que l'écoute dans son caractère objectif et affectif. Communication de l'enfant et de sa mère dès les premiers mois de vie fœtale, communication avec le monde environnant, également dès les premiers mois de sa vie fœtale, l'audition est le témoin fragile d'un désir d'ouverture au monde et d'un repli sur soi. Et quand ce repli ou cette ouverture ne sont pas toujours consciemment perçus, c'est alors que les otites répétitives ou l'extraordinaire sensibilité à tout ce qui frémit prennent le relais pour imposer leur façon de parler.

L'oreille est composée de trois oreilles, l'oreille externe, l'oreille moyenne et l'oreille interne.

L'oreille externe capte les sons qu'elle amplifie ou filtre selon la nouveauté, l'intensité et l'importance que nous donnons à ces bruits. Une pluie légère nous bercera tandis que le léger clapotis d'une inondation naissante nous sortira bien vite du lit. Les fréquences sonores, selon leur nature, aiguës ou graves, sont inégalement perçues par ce filtre et amplificateur. Ce qui explique souvent la préférence de certains pour les sons graves d'un violoncelle, ou l'attirance vers les fréquences hautes d'une flûte traversière.

L'oreille moyenne joue le rôle de médiateur. Muscles et osselets (étrier, enclume, marteau) interviennent quand nous « tendons » l'oreille, c'est-à-dire quand nous ouvrons le chemin aux vibrations sonores à travers le conduit auditif et le corps pour qu'elles soient transmises jusqu'à l'oreille interne.

L'oreille interne

Perdre l'équilibre est parfois une question d'oreille. Le vestibule, sensible aux déplacements de forte amplitude (mouvements, sens de l'équilibre) nous permet d'intégrer les différents plans de l'espace et de contrôler nos postures dans les trois axes.

Perdre l'ouïe, c'est parfois avoir perdu l'équilibre. Le bon état du vestibule est d'une importance primordiale pour que la deuxième composante de l'oreille interne, la cochlée, puisse recevoir les vibrations sonores.

Au niveau de la cochlée, des cellules ciliées internes et externes réagissent en fonction de la fréquence captée et traduisent cette vibration en impulsions nerveuses. Le cerveau aura alors tout loisir d'interpréter ces impulsions et de les transformer en bruit ou en langage, à condition toutefois que des lésions parfois subtiles ou invisibles dans un audiogramme normal n'affectent la reconnaissance de certaines fréquences voisines, le son du b et du d, par exemple chez l'enfant en difficulté d'apprentissage ou dyslexique.

Attention aussi aux casques d'écoute qui ne laissent pas le choix d'ajuster, de filtrer des fréquences parfois trop violentes et qui, insensiblement, atteignent certaines cellules ciliées externes. Prenons garde aussi aux antibiotiques qui mettent à mal cette « avant-garde » de l'audition que sont ces cellules sensorielles.

Quelles fréquences sont audibles pour nous ? Celles comprises entre 16 000 et 20 000 hertz, lit-on couramment dans la littérature, celles qui nous sautent aux yeux, si j'ose dire. Quand aux autres, elles n'existent pas pour nous mais sont le pain quotidien des papillons, des dauphins, des chauve-souris. L'analogie entre l'œil et l'oreille est claire et nette et nous montre que notre perception est loin de couvrir la totalité de sa réalité. Nous offrant un spectre visible entre le violet et le rouge, les ondes lumineuses nous masquent l'univers des infrarouges et ultraviolets. Nous offrant un spectre audible entre hautes et basses fréquences, les ondes sonores nous dissimulent le monde des infrasons et des ultrasons.

Tout notre corps vibre sous l'influence d'un son, d'une musique, d'une voix qui nous tiennent à cœur. Rythme entraînant qui devient danse, couinement désagréable qui devient chair de poule, violons qui deviennent larmes, autant de manifestations physiologiques profondes ou superficielles qui nous prennent aux tripes et mettent en évidence les relations étroites entre l'oreille, les sensations tactiles et viscérales.

L'intensité sonore est cet autre paramètre qui glisse du son à la sensibilité tactile : un chuchotement exige de nous une tension pour saisir les mots. Une musique écoutée sans effort est un rare plaisir. Un réacteur d'avion créera un malaise ou un agacement, et au-delà de 130 décibels (le chuchotement atteint 20 décibels), on atteint le seuil de la douleur physique.

« Chanter, c'est mettre à l'unisson l'air environnant et l'air intérieur. » disait Platon. Le corps doit être détendu pour que la voix s'élève, pure dans son chant ; et une voix libérée, fluide amène vibrations agréables et légèreté du corps.

Tôt dans la vie fœtale, le bébé commence l'écoute de son environnement immédiat et familial sous les doubles aspects, sonore et affectif. Vers quatre mois, la sensibilité auditive est établie, la maturation des circuits de l'audition engagée, et le fœtus se familiarise avec les bruits de circulation sanguine, les bruits et voix extérieurs, leur intensité, leur origine et ce qu'ils transportent émotivement.

Ainsi le nouveau-né reconnaîtra-t-il, à l'exclusion de toute autre femme, la voix de sa mère par l'intonation et le rythme. Des voix chuchotées, des comptines répétées, des musiques perçues et reperçues garderont leur effet de détente (si elles en avaient un) quelques mois après la naissance. L'enfant, s'il les perçoit différemment durant la grossesse (filtrage du liquide amniotique, maturation parfois incomplète du système auditif) en a gardé, au-delà du passage de l'eau à l'air, l'essence affective.

L'écoute se joue parfois des frontières que nous imposons à nos sens. Un coup de canon crée un phénomène lumineux, un éclair blanc. Les musiciens perçoivent images et scènes colorées à l'écoute d'une musique. Les notes musicales semblent parfois masser le corps et opérer une détente physique. Les sons, selon la gamme chromatique des graves vers les aiguës, procurent chaleur, force, poids ou bien légèreté, finesse et sérénité.

Odeurs, couleurs, sensations, où sont passées vos frontières ?

Le mouvement

Dernier décrit, presque premier apparu dans la vie fœtale (sept semaines et demie) le mouvement ne fait pas partie de la famille des cinq sens. Quoique très complexe dans son expression, l'équilibre, fait d'immobilité et de mobilité, ne mobilise pas un organe spécialisé, mais une multitude de récepteurs logés dans les muscles, tendons, articulations et dans la plante du pied. C'est au plus profond du squelette et de sa musculature que nous observons, par contraction et relâchement de muscles antagonistes, la naissance d'un mouvement, d'une rotation, d'une coordination de postures. Si l'œil et l'oreille se contentent de recevoir les informations et d'en informer qui de droit, le sens de soi, du corps, de cette mobilité corporelle sont en constante interaction, ajustant et réajustant notre monde intérieur à l'univers qui nous entoure. La perte d'équilibre prend alors un double sens, objectif et affectif. Objectif, car nous manquons une marche ou tombons malencontreusement, affectif, car nous pouvons aussi manquer une occasion ou tomber sur un os.

À sept semaines et demie, le fœtus fait son premier mouvement, bientôt suivi d'une mobilité de tout le corps. Le répertoire moteur s'enrichira de mouvements de déglutition, de mâchoires, de mouvements des membres ou de la tête, de sursauts et de bâillements, d'étirements et même de hoquet.

Sens du mouvement vite associé à la vue, au toucher, à l'écoute, donnant l'impression parfois de ne plus tenir en équilibre quand les yeux sont fermés.

Envahissant la totalité du corps, cette sensibilité motrice se prête volontiers aux échanges entre sens. Le bébé trouvera tout naturel de tendre les bras vers ce qu'il voit, ce qui nous semble normal, mais également vers le bruit qu'il entend, ce qui nous déconcerte davantage. De plus, le contrôle visuel ne sera pas nécessaire dans les premiers mois, sinon années de la vie d'un enfant, qui « sentira » dans le noir un jouet convoité sans avoir aucune référence visuelle.

Savoir et non voir... Clef d'une mémoire qui d'intuitive devient analytique...

Le temps

Voilà encore un sens qui n'en est pas un ! Aucun récepteur visible ni connu, pas plus dans le squelette qu'en surface. Une « simple » activité psychique ou abstraite et pourtant, au nom du temps, combien de rendez-vous manqués, d'amours disparues, de chagrins envolés et de visages vieillis !

Le temps est illusion, dit-on parfois. Certitude intuitive profonde, qui considère le temps comme un artefact de la vie, mais comment concilier ce temps illusoire avec ces illusions qui ne durent qu'un temps ?

Comment comprendre, face à nous-même, ce temps qui s'élargit démesurément, au point de s'arrêter, devant une tâche rebutante, et ce temps qui file, lors d'un moment d'amitié. Devons-nous, face au temps, découvrir également ces deux réalités – ou illusions ?

L'une, objective, que l'on mesure ou qui nous mesure, horaire d'une journée, années qui nous pèsent.

L'autre, affective, qui, abandonnant le monde extérieur et mesurable, se confronte à l'être émotif, lui donnant son propre temps, qui n'est plus alors durée, mais état d'esprit.

Se rejoignant l'une l'autre, ces deux dimensions nous donnent la mesure d'un temps, à peu près également perçu par tous, sauf pour ceux qui ne sont plus atteints par le temps, beaux vieillards, vieux philosophes ou mystiques empreints de sagesse.

Si le bébé perçoit le temps, il nous est difficile de savoir selon quel critère. Des traditions populaires, sans doute empruntées à l'Inde, font apparaître Shiva, la déesse du temps, au moment de l'accouchement. Le bébé prendra alors conscience du temps, quoique imparfaitement ; par exemple ces petits enfants qui ne parviennent pas à se situer dans la journée, enfants qui deviendront souvent adultes ne se souvenant pas chronologiquement de leur enfance mais bien plus des touches émotives et silencieuses.

Bien des religions et traditions nous parlent de cette illusion qu'est le temps. Le temps serait-il une dimension de l'espace ? À force de tendre la main pour toucher un objet inaccessible, nous avons développé les yeux qui saisissent de loin. Dépassés par la notion d'espace, de mondes et d'au-delà, n'avons-nous pas – à notre insu – créé le moyen de les rapprocher, à travers les âges et… le temps ?

La mémoire et les cerveaux

Le monde qui nous entoure est maintenant entre nos mains. Réduits à l'état de sensations, des plus simples aux plus complexes, de l'odorat à la vision, de l'écoute au mouvement, nous nous approprions l'environnement et le faisons nôtre. Ce n'est plus la présence d'un monde qui se contente d'être, c'est le récit d'un conteur, qui, lui-même riche d'expériences, de sensations, voire d'amour et de haine, fait vibrer en lui ce monde.

Le cerveau est né. Né conteur, il n'est pas à l'abri du merveilleux, de la partialité, du mensonge. Tout comme le pêcheur, il enjolive ses pêches, tout comme l'homme sérieux, il rend grave tout ce qu'il touche. Tout comme chacun d'entre nous, il interprète comme il peut ce qu'il comprend et même ce qu'il ne comprend pas.

Le cerveau est composé de NEURONES, que l'on associe directement aux souvenirs ; il est triunique, LES TROIS CERVEAUX, que l'on associe à l'évolution des comportements ; il est également AIRES SPÉCIFIQUES ET ASSOCIATIVES, que l'on associe aux habiletés cognitives. Quelle que soit notre vision, du plus petit au plus grand, du plus simple au plus élaboré, du plus conscient au plus intuitif, il est MÉMOIRE.

Cette conception du cerveau triunique, hiérarchie de trois cerveaux en un, cerveau reptilien, système limbique et néocortex, nous la devons à Mac Lean. Représentative de l'évolution du cerveau humain à travers les âges, elle fait rejaillir en nous nos racines lointaines, des reptiles aux mammifères, façonnant nos comportements dans leurs dimensions instinctive, émotionnelle et rationnelle.

Le cerveau reptilien

Composé essentiellement de ganglions striés, il coiffe, dans un sens plus large des structures plus anciennes encore, tels le système réticulé, le bulbe rachidien, le thalamus, l'hypothalamus. Souvent décrit comme le responsable des gestes stéréotypés et routiniers de la vie quotidienne, il a toutefois son psychisme propre quant aux aspects de communication sociale, tels la parade, le défi, l'affirmation de soi, la soumission. Chez l'être humain, ces routines deviennent coutumes, exprimant notre besoin de rituels et de hiérarchie sociale (dans la vie paysanne, juridique, religieuse, scientifique...). Chez le reptile comme chez l'homme, ces comportements fortement ritualisés assurent la survie et la sécurité dans la nature ou dans la société. Présentant les défauts de leurs qualités, ils rendent parfois reptiles et humains esclaves des habitudes et superstitieux dans leurs attitudes.

Ce cerveau reptilien, nommé aussi complexe R joue un rôle important dans les fonctions motrices, encore que des lésions profondes n'affectent pas systématiquement le mouvement.

Enfin le rôle de l'hypothalamus et du cerveau reptilien est reconnu de façon péremptoire dans le métabolisme : régulation de la température du corps, faim et soif, comportement reproducteur, maternage des petits, allaitement, fuite et attaque, toutes mémoires liées à la survie de l'espèce, état de vigilance générale, annonçant motivation et sentiments.

Tout ce que nous observons chez les reptiles, tout ce que nous reconnaissons chez les mammifères, tout ce que nous avons peine à accepter pour nous-même quant à l'instinct, les rituels, tous ces comportements appropriés et inappropriés, acceptés (toilettage, imitation, comportement alimentaire...), inacceptables (comportement de fraude, d'agressivité, réactions déplacées) sont initiés et contrôlés par le cerveau reptilien.

Comportements instinctifs, dits de survie, profondément ancrés chez l'homme, réduits souvent au terme de pulsions, ils sont pourtant le reflet de mémoires vivantes et profondes dont nous ne saisissons qu'une facette.

Mémoires vivantes et profondes de nos origines, devançant peut-être le code génétique, dépassant la seule notion de survie de l'espèce, elles s'unissent à nous comme le vent et l'humidité, sans que nous les comprenions, mais avec la nécessité de les accepter.

Le systeme limbique

Le système limbique, lové au cœur du cerveau présente une pluralité de structures, tels le bulbe olfactif, la formation hippocampique, l'amygdale, le septum, le lobe de Broca, et deux grandes finalités : des capacités olfactives et des compétences affectives, les unes et les autres n'étant pas sans rapport. Connecté fortement avec l'hypothalamus, il influence nos fonctions viscérales. Richement relié au troisième cerveau, le néocortex, il colorera d'émotivité nos fonctions cognitives.

Sa forme d'expression n'est plus le rituel immuable du cerveau reptilien, pas davantage le langage verbal du néocortex (troisième cerveau), c'est un langage émotionnel qui induira comportement de survie, comportement de reproduction et comportement parental. Les recherches cliniques et expérimentales de ces dernières années concordent pour diviser le système limbique en trois structures, et cerner leurs implications dans la vie.

— le septum joue un rôle dans les comportements sexuels, l'amygdale dans les comportements de nutrition d'une part, de défense et de protection d'autre part. Agressivité, affection, amour, nutrition, activités sexuelles sont indissolublement liées, quand bien même ils n'apparaissent pas tous simultanément. Appariés l'un à l'autre, les repas de famille ont des dimensions affectives – ou agressives – indéniables, comme l'amour peut engendrer le désir sexuel ou le manque d'amour exiger plus de nourriture.

Source même de vie, de dynamisme, ces structures lésées rendent désenchantés les animaux les plus actifs, tels ces lapins qui ne se défendent même plus du danger.

— l'hippocampe joue un rôle prépondérant dans la mémoire à court terme que consolident de façon notable les corps mammillaires. Des défaillances mnésiques et émotives surviennent lors de la lésion de ces structures. Le rôle de l'hippocampe, cognitif et affectif, est de confronter le déjà-vu à l'inhabituel, et de s'emparer d'informations sensorielles (auditives et visuelles) pour leur donner une connotation émotive.

— la troisième subdivision du système limbique (division thalamo-cingulaire) devient plus grande et se développe notamment chez les mammifères évolués (primates et hommes). Mac Lean souligne son implication dans «l'empathie, la compassion, le souci de prévoyance pour les autres espèces».

Quelle est la nature de cette mémoire façonnée au gré de l'évolution animale aboutissant, sans rien perdre de ce qui lui a donné naissance à la mémoire de l'être humain? Lui donner le titre de banque de souvenirs serait mal rendre la réalité. La réduire au seul vocable d'émotion ne serait pas tout à fait exact. La limiter au temps qui est passé et qui devient souvenir ne conviendrait pas non plus. On ne puise pas dans cette mémoire pour se rappeler «le bon vieux temps» ou les souvenirs inavouables. Cette mémoire du passé ne devient présente que lorsque l'avenir est en jeu. Quand l'animal, ou l'être humain, confronté à une stimulation sensorielle ou viscérale, fait surgir de façon presque inconsciente un souvenir fait d'émotions de joie, de peur, de désir, de haine. Souvenir quasi imperceptible qui engagera néanmoins la prévision de l'avenir ou l'adaptation au futur.

Libérée du temps, cette mémoire rend présent un passé dont nous ne nous souvenons pas toujours mais qui se souvient pour nous. Exempte d'images claires et nettes, elle est composée d'impressions sensorielles floues, d'affectivité, de réflexions diffuses. Tout le phénomène de la pensée que nous décrirons plus tard est présent, une pensée sous forme intuitive ou vibratoire, attendant d'être figée par le néocortex.

Le néocortex

Dernier-né de l'évolution, le néocortex atteint son apogée chez les primates et l'être humain. Envahissant tout l'espace du crâne, il se superpose au cerveau reptilien, englobe les circuits limbiques, comme la chair d'une pêche entoure le noyau, et se répand en plusieurs lobes, temporaux, pariétaux, occipitaux, frontaux. Les nombreuses circonvolutions dont il est formé témoignent de la population massive de neurones, cellules nerveuses dont les rôles seront variés : analyse des informations sensorielles (vision, audition...), production du langage et de l'écriture, développement d'idées abstraites, anticipation lointaine de projets, toutes formes d'habiletés mentales et cognitives qui nous font intelligent et conscient du passé. Avant tout orienté vers le monde extérieur, il peut se montrer froid et calculateur mais en même temps remarquablement adapté pour raisonner et résoudre les problèmes présentés aux deux cerveaux précédents. Les aires associatives, qui mettent en commun, comme leur nom l'indique, ou en confrontation les expériences sensorielles diverses, sont la base de tous nos processus mentaux supérieurs, mémoire, réflexion, imagination, rêve, anticipation, etc. Responsable de notre esprit rationnel, il va créer une image personnelle du monde qui nous entoure, par la reconstruction, l'amplification, l'interprétation des formes d'énergie captées par les organes sensoriels. Prenant alors appui sur cette réalité, il pourra par le jeu de neurones et de circuits neuronaux, élaborer des concepts, procréer puis défendre des idées nouvelles, et agir sur le monde extérieur.

Les organes sensoriels, tout comme le cerveau, ont évolué à travers les âges et les animaux. La construction d'images du monde extérieur a par conséquent suivi cette évolution. Ce qui rend toute relative la « réalité ». C'est pourtant sur cette réalité que nous construisons des absolus : absolu dans la connaissance scientifique, absolu dans la notion de progrès technologique, absolu dans nos perceptions du monde. Une autre forme de « progrès » ne serait-elle pas de concevoir cette réalité, fruit de notre imaginaire, ou de nos fonctions cérébrales si l'on préfère comme la réalité pour une espèce donnée, une famille, un peuple, une race, un temps donné, une époque, un siècle, un monde... ceci afin de saisir au-delà de notre temps quotidien une éternité dont le quotidien n'est qu'un aspect.

Attention, cette réalité d'un siècle donné nourrit l'imaginaire d'un cerveau qui n'a bientôt plus besoin d'aller puiser à la source. Le néocortex peut se passer des sens quand il rêve... Mais il risque alors de nous conduire vers une impasse. Une impasse bien réelle toutefois quand le progrès et les réalisations technologiques abondent mais une impasse tout de même pour l'être humain quand celui-ci, coupé de toute oasis, meurt de soif devant des hallucinations ou s'oublie lui-même dans une maladie de la mémoire.

La mémoire et les neurones

Infiniment petits, les neurones, cellules nerveuses, ont leur mot à dire dans la mémoire et pour d'aucuns, ils sont à la source de nos tracas. Tracas tels les blancs de mémoire ou la défaillance progressive, les maladies mentales comme la schyzophrénie ou les phases maniaco-dépressives.

Un neurone est une cellule nerveuse composée d'un corps de forme variable, et d'un axone, tunnel, également de grandeur variable, à travers lesquels circulent ces trains d'impulsions électriques qui deviennent champs électro-magnétiques puis magnétiques. L'information saute de neurone en neurone comme une phrase s'interrompt par un point et reprend par une majuscule. Les neuromédiateurs sont ces structures qui servent de pont et régulent les échanges : acétylcholine, dopamine, GABA, glutamate, sérotonine, aussi nombreux que des règles de ponctuation, ils se dérèglent par méconnaissance, provoquant parfois un emballement ou un ralentissement des informations. S'ensuivent alors des troubles sensoriels : on entend des voix, on a des visions, des hallucinations de tout ordre, des troubles émotifs, dépression, paranoïa, schyzophrénie et des troubles physiques et comportementaux, perte de mémoire, rigidité musculaire, sclérose en plaques, etc.

Accusés, ces neurones sont-ils vraiment coupables lorsque la mémoire devient défaillante ?

À travers la littérature, nous constatons deux façons de présenter les faits :

La première : nous possédons environ 100 milliards de neurones à la naissance, capital qui, a priori, ne se multiplie pas. À partir de l'âge de 20 ans, nous perdons de 1 000 à 2 000 neurones par jour, perte qui se fait de plus en plus sensible au fil des années.

La deuxième : nous possédons 100 milliards de neurones à la naissance, 100 milliards qui ne se multiplient pas. À l'âge de 90 ans, nous avons perdu de 15 à 25 % de ces neurones, perte qui ne semble pas à prime abord déterminante.

Si 1 000 à 2 000 neurones perdus par jour représentent une perte inexorable et considérable, 20 % de neurones disparus à la fin d'une vie ne paraît pas significatif de ces pertes de mémoire, qui n'attendent pas généralement 90 ans pour se manifester.

Ne faudrait-il pas nuancer notre affirmation : perte de neurones = perte de mémoire ? Considérer qu'entre un neurone et cette mémoire existe un lien impalpable, difficilement mesurable, pas du tout objectif que l'on nommerait émotivité ?

Et que cette émotivité, enfant terrible des biologistes qui peinent à la cerner, enfant chéri des psychologues qui vivent par elle, est à l'origine de ces contradictions et exceptions de la médecine ; ces vieillards dont la mémoire est vive et opiniâtre, ces traumatisés crâniens qui défient les diagnostics pessimistes, ces jeunes adultes qui s'enragent contre des souvenirs peu précis, ces enfants qui échouent examens et études au nom des blancs de mémoire.

DEUXIÈME PARTIE

Vivre sa mémoire ; une question de choix

Il vaut mieux allumer une seule et minuscule chandelle que de maudire l'obscurité

Proverbe chinois

Nous l'avons vu, où que nous nous tournions à travers la science, la psychologie, la philosophie, du corps au neurone, des sens au cerveau, la mémoire répond « présente ».

Mémoire individuelle de l'homme, faite des mémoires du corps, des sens, de l'esprit, faite d'émotions et de réflexions, de sensations et d'imagination.

Mémoire collective de l'homme, faite de tout ce qu'il n'est pas mais qu'il a été à travers les générations successives d'un monde en évolution.

Mémoire individuelle et mémoire collective ont leur point de rencontre chez l'être humain et sont exprimées – partiellement – dans nos réactions émotives et nos attitudes mentales. Dominante absolue chez un adulte, la mémoire individuelle, qui nous vient de nos sens, que nous localisons volontiers dans nos neurones, notre cerveau et parfois notre corps, cache souvent la subtilité de langage d'une mémoire collective, qui n'emprunte pas ce chemin fléché à travers les sens nourissiers du cerveau mais plutôt la voie d'une sensibilité générale, que je nomme souvent vibratoire.

La résultante de cette rencontre « mémoire collective, mémoire individuelle » fait un tout cohérent mais figé , qui rend difficile la différenciation de chacune et c'est à cela que nous allons nous attaquer : saisir cet état d'esprit d'ordre collectif à l'origine de l'individualité de l'être humain. Parfois pour reconstruire un équilibre menacé par la vie quotidienne, parfois pour approfondir une vie spirituelle, parfois pour briser d'inutiles illusions qui nous éloignent de nous-mêmes.

Cette approche de la mémoire, je l'ai forgée au cours des années, par tâtonnement, par hasard, par réflexion et je l'applique avec un public toujours très large d'enfants, d'adultes, de personnes en difficulté ou en recherche. J'ai contourné l'approche psychologique qui reste à mon goût trop cantonnée dans une mémoire individuelle faite de réactions à des événements ou à des personnes. J'ai contourné des approches trop « spirituelles » faites d'intuition pure de voyance, souvent justes mais souvent mal interprétées, je me suis efforcée de rester dans un équilibre (relatif, le mien.. !) qui me permette d'utiliser une sensibilité intuitive tout en confrontant cette sensibilité aux faits observables. Bref, de croire à ce que je vois et analyse, à ce que je sens et ne vois pas, mais à ne me fier ni à l'un, ni à l'autre sans les avoir approfondis.

Puisque je ne suis ni psychologue, ni médium, que je n'utilise ni la parole, ni la transe, il me reste le jeu et l'exercice pour faire jaillir l'état d'esprit originel, qui, par transformations successives, a abouti à l'émotion, factice ou véritable. Toujours d'une simplicité déconcertante, j'exposerai comment jeux et exercices nous permettent dans un premier temps de nous connaître ou nous découvrir, puis dans un deuxième temps d'analyser et de rectifier une réaction émotive ou une attitude comportementale.

Et tout d'abord, intellect oblige, je vais présenter cette hypothèse sur laquelle je travaille depuis des années, qui me paraît concilier travaux de recherche dits « scientifiques » et fiables et nos perceptions plus subjectives que sont la psychologie, les techniques orientales, les processus intuitifs, mais qui sont, pourquoi pas, des approches fiables aussi. Je ne donne pas à cet exposé valeur de certitude, mais d'essai d'explication, sujet à discussion et mise en doute, puisque je n'hésite pas un instant moi-même à modifier ou contredire mes idées quand elles me paraissent incompatibles avec mes observations. Ma démarche n'est pas celle d'un théoricien qui veut prouver sa théorie mais d'un observateur qui essaie d'expliquer ce qu'il a vu.

La mémoire : un état d'esprit

Si dans le terme «émotivité» nous entendons nos réactions vis-à-vis d'une situation, d'une personne ou d'un événement, dans le terme «état d'esprit», nous n'établissons aucun rapport avec une personne ni une situation. Nous parlons plutôt de climat, d'atmosphère qui nous environne à notre insu, invisible mais présent. C'est ceci, qu'arbitrairement bien sûr, j'ai choisi de nommer état d'esprit, à qui j'ai donné une valeur d'éternité, confinant notre vie quotidienne et individuelle dans le terme d'émotivité. Le monde s'ouvre à nous par l'état d'esprit, il se ferme en nous par l'émotivité.

Voici la conception. Le fœtus, de la taille de deux cellules, puis quatre, huit, etc. commence sa vie. Sa mère ne le sait pas, lui non plus sans doute. Encore dans les limbes où on ne réfléchit pas, mais où l'on perçoit peut-être, pas encore dans un psychisme où l'on s'interroge mais où l'on ne perçoit plus. L'émotion de la mère ou de son entourage ne l'atteint pas encore, dans l'ignorance de sa présence, personne ne peut encore le rejeter ou l'accueillir, maudire sa venue ou la bénir. Et pourtant ce fœtus est imprégné de mémoires. Mémoires plus semblables à l'air qui nous environne qu'aux pensées qui nous écrasent. Sous forme sans doute de rayonnements de différentes natures, des champs cosmiques aux champs électromagnétiques, il impose sa présence et son influence mais n'impose pas sa vue. Imperceptible, il tire les ficelles de cette nouvelle vie dans l'incognito le plus complet. Un simple mot, état d'esprit, mais j'ai mis dans cette expression une infinité de mémoires, à l'origine de la vie, mais hors de la notion d'espace et de temps humain. Nous pourrions commencer par ces mémoires de règne minéral : celles des pierres du chemin aussi bien que celles des planètes, des systèmes solaires, des météorites. Bref, de ce qui fait l'astronomie ou la minéralogie quand on observe ce règne, de ce qui fait l'astrologie ou la passion du collectionneur quand on cherche à en saisir l'esprit. Peut-on vraiment nier l'influence de la lune sur le cycle des femmes, d'une éclipse sur le psychisme, d'un transit de planètes ou d'une perturbation cosmique sur un peuple, un individu, un climat ? Voici une de ces premières mémoires dont nous gardons la trace sans le savoir. Mémoire d'un mouvement de planète, influence des champs cosmiques, mémoires qui nous possèdent et que nous ne possédons pas. Puis, il nous faut, dans l'évolution du monde, traverser règnes végétal et animal, dont nous n'avons pas de souvenir à proprement parler mais qui nous façonnent par leur existence, qui préexiste à la nôtre. Mémoires que l'on ne peut qualifier de génétiques mais qui nous rendent familiers au-delà de la simple compréhension un coin de terre où nous n'avons jamais vécu, mais dont nous reconnaissons l'état d'esprit, à travers le climat, la géographie, voire le peuple. Résonnances multiples de ces mémoires qui s'exprimeront malgré nous et sans que nous les saisissions dans cette attirance de l'eau, dans l'exaltation du vent, dans l'angoisse du désert. Résonnance subtile aussi que cet apaisement auprès d'animaux, ou que cette phobie des araignées, de cette plénitude qui nous pénètre en forêt ou cette terreur incontrôlable devant des champs de neige. Puis les peuples, les races, les familles se diversifient avec comme toile de fond ces mémoires vivantes qui ne sont pas humaines. L'état d'esprit devient plus visible quoique impalpable encore dans une tristesse sans nom et sans raison d'un bébé, ou dans la peur de tout un peuple ou dans la jouissance d'une famille qui n'a pas toujours une vie plus facile que les autres mais qui semble moins touchée par les drames.

Tout ceci, ces mémoires collectives, ces annales du monde, ces souffles et esprits, selon le personne qui parle, je n'en prends que la résultante, l'état d'esprit.

Le fœtus, puis le petit enfant connaîtra ainsi, par cet état d'esprit, avant même d'avoir vécu pour son propre compte, le monde en esprit, en impressions vagues et diffuses jusqu'à ce que la vie quotidienne naissante, avec ses événements et ses personnages ne fassent jaillir de cet état d'esprit dormant une émotivité discernable. Oublié, cet état d'esprit qui, au-delà des siècles préparait le terrain ou nous allions atterrir. Oublié, le terrain, c'est maintenant l'être humain, corps, émotions et intellect qui s'adjuge le rôle de jeune premier.

L'état d'esprit prend forme

Vents invisibles, ces mémoires « états d'esprit » dispersées dans les âges et l'espace se rassemblent en une voûte massive, nuages noirs qui se rassemblent et mettent une emprise – indiscernable – sur ce petit fœtus, passant de l'éternité à une dimension humaine. Le code génétique se fera alors maître d'œuvres de la bonne mise en place des structures tissulaires, métaboliques… sous l'égide discrète de ces souffles. Un arbre sur le littoral a tout en lui pour grandir droit et fort. Mais parfois souffle du littoral un vent incessant qui, peu à peu, le courbera, l'épuisera et limitera son espérance de vie.

Ainsi s'en va chacun d'entre nous. Nous aurions beaucoup sinon tout pour vivre heureux, jeune, paisible, mais ces vents invisibles qui nous encerclent, faits de haine et de peur, de rancœur et de tristesse, changent le devenir de notre être. Comment cet état d'esprit s'immisce-t-il dans la croissance ? Et bien, je le pense, par des voies qui sont encore beaucoup plus énergétiques que métaboliques. Ces mémoires aussi vieilles que le monde, nous les mémorisons dans ces flux d'énergie que la médecine chinoise a choisi d'appeler méridiens, que d'autres nommeront chakras, que d'autres encore nommeront corps subtils. La querelle des mots est mauvaise conseillère, j'ai certainement une préférence pour le terme de méridien car je travaille souvent en collaboration avec la médecine chinoise, mais tout ceci n'a aucune importance. Ce qui en a c'est l'image qui suit. De très impalpable, ces mémoires états d'esprit, s'accélèrent et réduisent leur espace d'action en un flux d'énergie, à la surface du corps. Ainsi ces champs électriques que l'on mesure et que l'on met en rapport avec des points d'acupuncture. Mémoires difficiles à cerner encore, il ne s'agit pas de mots, ni d'images, juste un mouvement énergétique qui pourra aller « trop vite » ou « trop lentement » ou « à l'envers ». De cette énergie, tour à tour riche et perverse, le corps se nourrira, affirmant la bonne marche du métabolisme, la force des muscles et la solidité du système nerveux, ou portera d'avance en lui une faiblesse congénitale, un défaut de poumons, dont on cherchera vainement la trace chez le bébé florissant mais que l'on verra apparaître peu à peu au cours de la vie.

Aucune de ces mémoires n'évoque ce qu'elle est de haine ou de peur, elle n'a pris forme que dans une énergie vague ou parfois un simple malaise ; aucun lien encore à faire entre elle et l'émotion ressentie. Exactement comme si elle n'existait pas, le fœtus et l'enfant commencent à vivre leur vie. Pourtant, exactement comme si elle n'existait pas, elle a commencé son travail de sape.

Je parle plus volontiers de mémoires « noires » faites de peur et de haine que de mémoires faites de paix et d'amour. Loin de moi l'idée de ne voir que du mal en l'être humain mais je mets plutôt en évidence un phénomène de gravitation. Je veux dire par là que notre façon d'être, la matière lourde du corps nous met plus volontiers en résonnance avec des sentiments qui sont eux-mêmes pesants.

N'avons-nous pas tous connu le poids de la rancœur et de la jalousie et senti cette légèreté infinie dans le don de soi ?

Je conçois donc que nous bâtissons, même si cela ne nous convient pas, davantage notre façon d'être sur des mémoires d'ores et déjà handicapantes depuis des générations, cette peur ou ce sentiment de rejet, que sur des mémoires claires comme le sont l'amour et la joie. Plus légères, celles-ci sont ce ballon d'hélium que nous tentons d'attraper et dont la ficelle nous échappe ou s'effiloche entre nos doigts. Elles existent, ces mémoires «blanches», comme le ciel bleu est là tous les jours de notre vie. Mais il y a des semaines entières où les nuages, ces mémoires noires, nous le cachent. Plonger dedans, ce n'est pas voir le mal partout et s'y complaire dans un esprit de mortification ou de sacrifice, c'est traverser cette couche nuageuse pour trouver le ciel bleu, et si les cieux s'obscurcissent à nouveau, savoir encore le retrouver.

Ainsi donc, tout est là, tout est accessible, toutes ces forces qui seront tour à tour haine et amour sont mises à notre disposition. Nous bâtissons un corps physique et un corps psychique, reflet de ces mémoires, sans même le savoir, puisque très vite, la vie avec ses événements et ses personnages nous donne l'illusion de déterminer la force de notre corps et l'orientation de nos réactions émotives et comportementales.

L'être humain se fera point de jonction entre le temps et l'éternité, l'éternité représentée par ces mémoires du monde, le temps représenté par cette vie terrestre que nous vivons. La fusion s'opère chez le petit enfant, persiste chez l'adulte et il devient difficile de rendre à César ce qui est à César. Est-ce la haine dont on vous a gratifié enfant qui vous rend haineux à votre tour, ou est-ce la haine présente depuis des générations qui vous rend plus vulnérable à la haine ? Mettra-t-on la faute sur ce qui est visible, la vie vécue, ou saisira-t-on ce qui est invisible, l'état d'esprit ?

L'état d'esprit et le corps

Une mâchoire contractée est une mémoire. Des spasmes incontrôlés sont des mémoires. Mémoires peu intelligentes mais ô combien profondes qui établissent leurs racines au-delà des viscères dans le cœur de l'homme. Car, si toute souffrance peut être le résultat et l'expression d'une attaque immédiate, elle peut être aussi le reflet d'une souffrance invisible, vieille de 10 000 ans, imprégnant familles et ancêtres depuis des générations.

Ainsi la souffrance est-elle mémoire vivante autonome et précédant le psychisme humain, ainsi la souffrance est-elle souvent la résultante de l'état d'esprit. Ce sont nos premières attaques, avant même d'avoir eu le temps de penser mal ou bien, positivement ou négativement. Avant même de réaliser que parfois, la vie ne vaut pas la peine d'être vécue ou qu'une maladie nous donnerait l'attention dont nous avons tant besoin. Ces attaques sont aussi sournoises et progressives que le clapotis de l'eau qui polit la roche, l'use et la détruit. Parfois chez l'enfant qui naît atteint de cancer, elles apparaissent de façon tragique et rapide. Cas extrêmes plutôt rares. Moins rare les cas où ces mémoires vivantes usent en prenant leur temps, affaiblissant les défenses de l'organisme et le rendant « apte » à saisir au vol tout virus ou microbe, tout accident par manque d'attention ou fragilité excessive. Ou tout simplement rendant l'individu, en bonne santé physique, perturbé de peurs incompréhensibles, de tristesse sans fond, qui, elles, rejaillissent sur l'organisme en palpitations sans troubles cardiaques ou douleur à l'estomac sans ulcère. Ce n'est parfois que très longtemps après, dix, vingt ou trente ans que des palpitations sans gravité laissent la place à un infarctus, que des maux d'estomac s'effacent devant l'ulcère.

Certains d'entre nous (heureux ou malheureux ?) ne sentent aucun de ces troubles prémonitoires, sont fermés à ces mémoires ancestrales – ni perçues, ni exprimées – sont maîtres de leur psychisme où aucune faille ne s'ouvre, et meurent, subitement abattus par une maladie dont on n'a pas vu le début. D'autres, souffrant sans être malades, toujours en contact avec ces mémoires noires, luttent sans connaître leur ennemi, ou parfois même en se trompant d'ennemi. Jusqu'au jour où, à demi-vaincues et à demi-vainqueurs, ces mémoires noires, du corps où elles étaient cantonnées, nourrissent l'émotivité, perturbent le psychisme, font apparaître découragement ou angoisse, miroir de ces mémoires ancestrales mais que l'on relie aux traumatismes les plus proches, et uniquement à eux. Lorsque la maladie apparaît, on se souvient de ce choc émotif et de cette émotivité troublée et l'on associe psychisme avec soma : psychosomatique.

L'oubli a frappé : l'oubli de ces mémoires que j'ai appelé « état d'esprit » qui, à notre insu, ont malmené corps et âme dans l'ombre, comme des fantômes, et qui ne sont apparues que par des chemins détournés, lors d'un événement fortuit. Comme si la vie quotidienne avec ses plaies et bosses, jouait le rôle révélateur mais pas nécessairement de responsable. L'erreur géniale du savant, l'expérience manquée qui révèle autre chose d'inattendu. La vie se joue ainsi de nous et moi qui ai parlé dans mon premier livre de psychosomatique, qui ai dit qu'un cerveau pouvait tour à tour créer et guérir une maladie, je me fais plus circonspecte, pour la maladie et pour la guérison.

Je ne pense pas qu'un petit enfant de deux ans ait pu souffrir assez émotivement et n'ait pu apprendre à gérer son stress quand son cancer est apparu presque à la naissance. Psychosomatique ou somato-psychisme ? Mémoires lointaines passant par des voies énergétiques et physiques, foudroyant un jeune enfant mais que l'on retrouve bien souvent à des âges et dans des contextes différents chez les adultes de la même famille.

Je ne pense pas qu'une personne qui répète sans cesse « je veux mourir » contractera automatiquement par la voie psychosomatique la maladie de son choix. Parfois. Rarement. Mais apprenons à distinguer une émotivité de tristesse, prenant appui sur un état d'esprit (mémoires ancestrales) de force. L'état d'esprit gagnera.

Je ne pense pas non plus qu'une personne guérira automatiquement d'un cancer parce qu'elle s'adonnera à la visualisation ou à la pensée positive. Attention au « je veux guérir » désarmant de sincérité émotive sur un état d'esprit de renoncement ou d'envie de ne pas vivre. L'état d'esprit gagnera.

L'éternité gagnera toujours sur le temps, l'état d'esprit sur l'émotivité. On ne peut affronter un état d'esprit de plein fouet, issu de lui, nous nous retournerions contre nous-mêmes. C'est une partie de judo qu'il nous faut jouer.

En résumé, le corps avec ses voies énergétiques et ses voies physiques se fait le premier interprète de ces mémoires du monde. Il donne l'individualité à ces mémoires universelles. L'être humain, nourrisson du cosmos, devient fils de ses parents et de lui-même. Ce langage fantôme, ni perçu, ni exprimé sinon comme une sensation vague ou un léger malaise, emprunte la voie des méridiens (si nous prenons les termes de la médecine chinoise) sous forme de faiblesse ou d'excès, de vide ou de stagnation. Sous forme aussi de vent, feu, froid, humidité, termes météorologiques et poétiques qui unissent l'être humain à la nature dont il est issu.

Un vent violent, renversant les fragiles barrières d'un individu l'envahira et se transformera peu à peu en agitation, hyperactivité, ce vent de l'esprit qu'on aura alors tout loisir, puisqu'il aura pris sa place dans le quotidien, d'associer à un problème émotif ou à une circonstance dramatique. Mais le vent était là avant... La maladie, les maladies qui se succèdent révèleraient-elles les saisons de l'univers ? Y aurait-il en dehors du climat géographique un climat d'ordre vibratoire, des saisons symboliques qui, faisant alterner les éléments nous rendent d'avance plus vulnérables à certaines maladies ? Maladies de civilisation, les troubles mentaux, si fréquents à notre époque pourraient être cet état d'esprit de vent qui se concrétise dans cette agitation des villes, dans cette fébrilité des hommes, dans cette course à la performance et à la qualité. Troubles cardiaques, maladies épidémiques seraient-ils le reflet du feu qui consume l'être, de l'humidité qui le pourrit, du froid qui le paralyse ?

Avant d'être individuelle, la maladie se veut collective. Et chacun d'entre nous, s'habillant à sa façon de ses états d'esprit ouvre une voie, pour que, d'universelle, la maladie devienne individuelle au gré des événements ou circonstances qui se présentent dans un contexte donné pour un individu précis.

La médecine chinoise et l'acupuncture s'efforcent de replacer l'être humain dans le cosmos et d'associer organes, éléments de la nature, planètes, état d'esprits. Mais nous avons fait dévier cette conception du monde en associant *émotivité* et malaises organiques et l'acupuncture elle-même associe les vicissitudes de la vie, l'injustice, la colère aux malaises ressentis.

Pour ma part, j'en reste à cette conception primordiale qui unit état d'esprit et corps à notre insu, créant une maladie encore invisible, une fragilité pas encore pathologique.

Le somato-psychique précédera toujours cette petite sœur qu'est la psychosomatique. Cette dernière sera un signal d'alarme, un ultime message annonçant que de loin, de très loin, le corps est attaqué par ces mémoires noires, par ces états d'esprit millénaires.

En attendant cette étape, l'état d'esprit qui a pris corps par des voies énergétiques et physiques continue son chemin et ces champs électriques ou électromagnétiques se propageront vers cet autre interprète qu'est le cerveau pour prendre forme dans ces autres langages que sont émotivité et intellect.

L'état d'esprit et l'émotivité

L'état d'esprit rejoint le cerveau. Empruntant les voies du cerveau reptilien et du système limbique, il s'exprimera dans les rituels propres à chaque race, dans les comportements fondamentaux et instinctifs par lesquels on reconnaît une espèce, puis dans les comportements d'ordre émotif, tels le comportement de reproduction, le maternage des petits, la compassion, la prévoyance et tous les sentiments dont nous pouvons décrire les nuances, de la haine à l'amour et retrouver chez chacun d'entre nous, hommes et animaux.

Nous nous attarderons sur le système limbique puisqu'il est à l'origine de ce langage émotionnel qui se développe fort tôt chez le bébé encore dans le ventre de sa mère et qui nous accompagne jusqu'au jour de notre mort.

Ce langage émotionnel se situe à la limite du temps et de l'éternité. Sa notion du temps n'est pas tout à fait la même que celle de cet autre cerveau, plus analytique, nommé néocortex. Elle se prolonge au-delà de l'événement survenu, prenant naissance souvent avant l'événement et persistant parfois des années après, quand bien même le souvenir aura pâli. Sa notion d'éternité n'est pas davantage accessible à ce néocortex. Profondément viscéral, établissant ses racines au plus profond de l'être humain, ce système limbique reçoit des informations de grandes fonctions métaboliques, notamment via l'hypothalamus. Si l'on considère, au vu de ce que nous avons décrit précédemment, le corps et ses grandes fonctions comme le premier interprète de ces mémoires hors du temps que sont les états d'esprit, l'on saisit alors comment ce langage nommé émotivité dérive de ce cousin lointain nommé état d'esprit.

Née de l'état d'esprit mais prisonnière du temps et de la vie quotidienne, l'émotivité prendra appui sur les faits pour se construire. Ces faits divers nous arrivent par la voie des sens, images, sons, sensations provoquées par la mort d'un être cher, l'insécurité d'un pays en récession, la joie d'aimer un enfant. Ils transitent par le système limbique, où, même s'ils ne prennent pas une forme intellectuelle, ils seront présents dans une forme floue et intense. La fusion s'établit alors entre cet état d'esprit né de loin et qui n'est que forme sans fait et cette émotivité qui dérive des faits et de la forme, soutenu par la forme sans même le savoir, accroché au fait comme étant la seule réalité. Nous déduirons alors que la mort d'un ami cause une tristesse en nous. Logique, bien sûr, mais aurions-nous éprouvé de la tristesse si nous n'avions pas en nous, de toute éternité la peine du monde ? Logique, bien sûr, ce chagrin de la disparition, mais pourquoi un chagrin qui ne s'apaise pas chez l'un et qui fait place, chez l'autre, à une sérénité qui annonce déjà la joie renaissante ? Ce sont ces exceptions et ces différences, observées sans relâche dans mon travail, qui me font affirmer : l'émotivité née de l'événement n'est pas constante. Un deuil n'entraînera pas toujours une peine que l'on peut mesurer en intensité et en durée, comme une joie n'envahira pas toujours l'être qui la vit. Tout dépend du terrain sur lequel tombe cette joie ou cette peine, terrain qui sera gouffre profond dans lequel se noieront joies et peines, terrain fait de douceur qui amortira le chagrin survenu et donnera un éclat particulier à la joie venue du dehors.

Ainsi donc, si nous nous amusions à des équations, l'état d'esprit + l'événement nous conduit à l'émotivité. L'état d'esprit emprunte la voie d'une sensibilité générale, pas vraiment tactile, plutôt énergétique qui nourrit corps et cerveau. C'est le genre de sensation qui nous fait dire – au-delà d'une bonne santé – « je n'ai guère d'énergie aujourd'hui » ou qui fera monter une colère que rien ne justifie. L'événement emprunte la voie des sens, nos yeux, oreilles, toucher, odorat jusqu'aux cerveaux, (système limbique puis néocortex) qui le mettent peu à peu en images ou sons, perceptions d'abord intuitives et émotives puis froides et objectives.

L'événement, né de la vie quotidienne, rejoint l'état d'esprit né des mémoires du monde et se modèle selon l'époque et la personne. Comme l'eau qui dévale une pente pour la première fois y creuse peu à peu son lit, s'appropriant l'espace qui était néammoins prêt à l'accueillir.

La peur état d'esprit d'un tout petit enfant, aimé et protégé n'apparaîtra que dans des circonstances bénignes, sa mère qui s'absente, la peur du noir, peurs que l'on jugera normales et qui le sont bien sûr. Mais qu'un événement plus grave, un accident d'auto, par exemple, surgisse et cette peur normale se transformera en terreur qui suivra l'enfant toute sa vie. Et nous de dire : « L'accident l'a traumatisé », et les thérapies d'entreprendre un travail sur l'émotivité et la perception de l'accident de l'enfant. La peur état d'esprit a préparé le terrain, la peur émotivité y a creusé son lit.

Les événenents de la vie quotidienne, auxquels il faut bien le dire nous réagissons très différemment les uns des autres (le terrain prime et non l'événement), révèlent comme de vieux amis ou des ennemis jurés ces états d'esprit qui nous habitent. L'on peut en voir l'impact sur un individu et bien souvent sur sa famille entière ; ce qui nous fera dire d'une famille « Ils vivent toujours sur la haine et la rancœur ». Haine et rancœur que l'on excusera de génération en génération par la guerre, des catastrophes naturelles, une ruine, un divorce, selon l'époque et la personne, mais haine et rancœur qui resteront néanmoins présentes quand les événements seront loin.

Dans la vie, un événement tragique révélera brusquement un état d'esprit, tapi dans l'ombre. De la même façon, nous trouverons toujours, à travers les méandres du psychisme, une cause lointaine et refoulée qui justifiera nos émotions. Nous risquons de perdre bien du temps à analyser la goutte qui a fait déborder le vase. Ce qui m'intéresse, ce sont les autres gouttes d'eau, celles qui n'ont dérangé personne car elles n'ont pas encore surgi dans un contexte émotif. C'est pourquoi il est important – pour moi – de dissocier le contexte émotif de l'état d'esprit. Je ne travaillerai donc pas avec mes participants sur ce qu'ils vivent tous les jours, je ne prendrai les événements que comme des balises qui nous permettent de rejoindre l'état d'esprit. Mais je n'aurai de cesse de faire ressentir une peur, un chagrin, qui ne seront pas définis comme tels mais dont la personne dira qu'ils pourraient devenir peur, chagrin. Un état d'esprit ne se ressent pas aussi clairement qu'une émotivité, il ne s'habille pas d'images ou de faits, il est une sensibilité étrange et familière, nous éloignant du temps et, paradoxalement, extraordinairement présente et vibrante.

Il est une autre raison qui me justifie dans ma décision de ne pas travailler dans le contexte émotif. Raison que l'on trouve dans ces exercices de français qui nous font associer les mots par ressemblance ou par contraire.

Par ressemblance, la haine cotoiera la méchanceté, la rancœur, la rage, la médisance, etc. Par contraire, la haine révélera la bonté, l'amour, le don de soi, etc. Entre ressemblances et contraires s'établiront des intermédiaires nuancés qui ne feront sortir la haine que dans une ironie acceptable ou dans une indifférence bienveillante. Il en est ainsi avec l'être humain. Un état d'esprit où domine la haine s'exprimera dès l'enfance en comportements inacceptables, méchants et sournois, continuera chez l'adolescent en délinquance notoire, sera maîtrisée parfois chez l'adulte, ou non, et apparaîtra de façon justifiée dans un travail qui demandera agressivité et violence.

Comme ce même état d'esprit de haine, à force de coups de pieds ou d'éducation morale peut devenir générosité, oubli de soi voire sacrifice. Une apparence sincère de qualités sur un état d'esprit de basse qualité.

N.B. Quand je cite un état d'esprit où domine la haine, je ne dis pas qu'il n'y a que de la haine. Je ne nie pas la présence d'une douceur et d'une propension à la joie, je veux tout simplement exprimer que le climat de haine prédomine et c'est celui-ci que je mets en relief afin de lui faire céder la place à la paix.

Tout un galimatias, de vrai et de faux, de visible et d'invisible, d'états d'esprit et d'émotions qui seront à l'origine de nos personnalités, de nos actions même, et de nos rapports les uns avec les autres.

Qui arbitrera ces joueurs ? Le néocortex, dernier-né de l'évolution met en forme ces états d'esprit et émotions et les confronte aux événements qui surgissent de la vie quotidienne. La parole apparaît, maîtresse d'école de la justification, et du galimatias, nous passons à l'embrouillamini qu'est l'être humain.

L'état d'esprit et l'intellect

Le néocortex nous offre un tout autre langage que le système limbique, un langage plus analytique et plus froid, mais aussi plus précis. Nous sommes loin de ces impressions vagues et diffuses qui constituent une émotivité. Nous entrons dans le domaine du détail, de l'exactitude des perceptions sensorielles et de la pensée associative qui annoncent toute réflexion, jugement, et qui entraînera ce que nous appelons les grandes fonctions mentales ou les habiletés cognitives. Point de départ de ce langage que je nomme intellectuel, les aires corticales fournissent images visuelles ou sonores, impressions tactiles ou motrices, interprétation olfactive ou gustative. Ces informations issues de nos sens ont déjà, avant d'aboutir au néocortex, transité par le système limbique (l'hippocampe) où elles y ont laissé des traces. Toutefois, l'analyse de ces mêmes sensations diffèrent grandement lorsque l'on passe d'un cerveau à l'autre. Le système limbique nous donnera la sensation d'une silhouette dans la pénombre, dont on ne peut saisir le détail ou reconnaître les traits mais qui nous fera sentir intuitivement qu'il y a danger. Le néocortex nous offrira la vision d'un personnage bien éclairé, dont rien ne nous échappe, de son visage ou de sa façon d'être sans pour autant nous mettre en garde contre un éventuel danger.

Rester objectif dans notre analyse tout en acceptant un ressenti parfois contradictoire, concilier les deux au-delà de la logique et vérifier le bien-fondé de notre conclusion me parait être un équilibre harmonieux de ces deux langages qui ne s'opposent pas, mais qui sont aussi différents que le russe et le japonais.

Le néocortex donne vie préférentiellement à ce qui nous parvient par des voies sensorielles (les sens, portes ouvertes sur l'environnement) qu'à cette sensibilité générale et profonde difficile à mettre en images. Le néocortex, ouvrant la porte à l'observation nous fait entrer totalement dans la vie quotidienne. S'offrent à nous par son intermédiaire toutes possibilités de juger et contrôler, d'anticiper et de transiger, de créer les mots et de jouer avec : la pensée individuelle naît, dégagée enfin de cette pensée collective qui enserre parfois l'être comme un étau. L'état d'esprit, dont nous avons suivi la trace jusqu'à maintenant, éclaire aussi ce dernier-né mais à la façon d'une lueur de bougie qui se perd dans l'éclatante lumière d'un néon. Attention que la bougie ne mette pas le feu...

Parfois, chez certains d'entre nous, l'état d'esprit vient se rappeler à notre bon souvenir par son jaillissement souvent incontrôlable. Chez d'autres, ce jaillissement malvenu fait l'objet d'un contrôle attentif. Ce sont ces personnalités où rien ne transparaît, vides d'émotions ou imperturbables, ce sont ces caractères hypersensibles qui ne parviennent pas à vivre sans être influencés de toutes parts et qui ne peuvent oublier ce qu'ils ont ressenti.

C'est un facteur d'individualité que nous gagnons avec le néocortex. Nous ne sommes plus nourrissons du cosmos, nous ne sommes presque plus fils et filles de nos parents, nous sommes nous-mêmes. Notre vie nous appartient, les événements semblent n'avoir d'existence que par eux-mêmes et façonnent le cours de notre vie émotive. Facteur d'oubli, le néocortex laisse loin derrière lui cet état d'esprit imperceptible et ne met en relief par son analyse que l'événement générateur d'émotions.

La fusion de l'état d'esprit et de l'événement s'opérait déjà dans l'émotivité qui nous permettait d'occulter l'état d'esprit pour justifier notre réaction par l'événement seulement. Mais le système limbique, moins habile dans le discours interne, se trahissait parfois en nous faisant découvrir ou reconnaître une rage, que nous savions faire partie de nous-mêmes, avant toute circonstance exaspérante.

Le néocortex, lui, avec son verbiage toujours à disposition peut enfouir au plus loin cet état d'esprit venu du fond des âges et ne le ressortir qu'associé à l'événement qui, toute analyse faite, justifie de façon évidente notre réaction émotive. La victime et le bourreau sont nettement dissociés par leurs actes : l'un frappe, l'autre est frappé. Que la violence soit commune aux deux, chez l'un, la victime, encore invisible, à l'état d'état d'esprit, chez l'autre, le bourreau, à fleur de peau, donc bien visible, ne peut être pris en considération par la justice humaine. Mais ne doit-il pas l'être dans notre for intérieur ?

C'est un message véhiculé par le « téléphone arabe » qui se chuchote depuis la conception jusqu'à la fin de la vie, en fait, dès que le néocortex peut rationnaliser. Messages dénaturés par un corps qui se défend, messages déformés par une émotivité qui se débat, message occulté par un néocortex qui veut se construire seul. De mensonges en demi-vérités, nous entrons dans le domaine des relations humaines qui se compliquent par les inévitables liens de familles, de peuples et de races. Rapports humains multiples et complexes au vu de la psychologie et de la sociologie, simples quant à l'état d'esprit pour qui le compromis n'existe pas. Nous pouvons émotivement aimer un peu, beaucoup, passionnément, à la folie, pas du tout, nous ne pouvons par l'état d'esprit qu'aimer ou haïr. Autre dimension propre au néocortex : le temps. Le temps s'est fractionné depuis que les événements qui jalonnent notre vie en font le canevas. Le passé est ancien, le présent est là, l'avenir devient conséquence du passé ou prolongement du présent. L'être humain glisse dans cette mort qu'est la vie réduite aux faits, il s'éloigne de cette vibrance, de cette éternité qui l'anime par le ciel, la terre et tout ce dont il est issu.

Nous ne devrions jamais perdre contact avec cette dominante d'état d'esprit qui nous habite. Car, aussitôt que nous lui tournons le dos, ou que nous la bloquons, elle vient, force invisible mais puissante, perturber rapports humains et situations, nous laissant déconcertés par son attaque soudaine ou révoltés devant l'injustice ou la malchance.

Ce langage intellectuel, né du néocortex, c'est cette roche de la plage qui se croit un cœur de pierre et ne sent pas que peu à peu la vague l'use. La sagesse, qui anime parfois enfants et vieillards est pour moi cette vague que l'on accepte et qui n'use plus pour détruire mais sculpte pour embellir.

L'état d'esprit et la vieillesse

Nous faisons un grand saut, à travers toute une vie qui s'est déroulée en fonction de ces transformations successives d'un état d'esprit traduit en langage corporel, émotif puis intellectuel. Vie élaborée parfois sur un « mensonge » originel mais vie vécue de bonnne foi. Une belle maison faite de beaux matériaux que nous avons su choisir et aimer mais qui, bâtie sur des sables mouvants, s'enfonce peu a peu. Désespérément, sans voir cet enlisement, nous essayons de rafistoler portes, fenêtres et toit, nous persuadant qu'ils sont cause du délabrement. Hélas ! Si nous vivons notre vie selon notre personnalité et nos actes, nous mourrons au-delà de notre individualité, chargés du poids de ces mémoires ancestrales, de ces mémoires du monde que nous avions su cacher.

Voici la vieillesse, qui peut être angoisse ou sagesse, et voilà cet état d'esprit, qui, de toutes parts, nous envahit.

La vieillesse est le reflet de notre vie, ais-je moi-même dit, mais elle est aussi le reflet de ce que nous ne sommes pas. Cet amalgamme d'émotivité et d'état d'esprit, l'un clair, l'autre clair aussi mais invisible, nous laisse perplexe. Où est la vérité ? Où est la vérité chez cette femme, généreuse de nature, vivant pour sa famille, heureuse de se consacrer au don de soi et pourtant achevant sa vie dans la solitude, aigrie, et haïssant le monde qu'elle a tant aimé ?

La vérité se situe sur deux niveaux. Premier niveau : l'état d'esprit. À son insu, cette femme est habitée par ce jeu de mémoires ancestrales de peur, de haine, de rancœur. L'éducation, puis son propre désir de devenir quelqu'un de bien, la pousse à contrecarrer toute immixtion de cette haine dans les actes de sa vie. Quand bien même cette femme aurait-elle senti une rancœur ou un sentiment d'injustice, elle aurait pu, par volonté ou par diversion, oublier. Ou bien, elle n'a tout au long de sa vie absolument rien senti et c'est d'absolue bonne foi qu'elle s'est consacrée à cette tâche de donner. Deuxième niveau : l'émotivité. Cette tâche de donner, elle l'a façonnée au long de sa vie, émotivement dans son apitoiement sur les misères d'autrui, sur sa force de caractère qui la fait affronter drames et injustices, sur cette joie qui naît du travail accompli. Intellectuellement dans les actes qui se succèdent, les interventions dans toutes les directions, qui amènent le support approprié. Ce que j'appelle sa personnalité, faite d'émotivité et d'intellect, parfaitement structurée et efficace, prend la direction des opérations et ne lâche pas de toute une vie. Mais pendant ce temps, de loin, de très loin, cette mémoire état d'esprit, toujours présente quoique effacée, use sans relâche cette place-forte inattaquable qu'est la personnalité. Des signes avant-coureurs peuvent apparaître, que la volonté suffit à masquer, une grande fatigue, un découragement, une colère, rien de bien grave. Quand le corps baisse les armes parce qu'il est fatigué de toute une vie, quand le cerveau lui-même, moins agile et rapide n'oppose plus autant de résistance, c'est alors que par des voies énergétiques, puis métaboliques les processus cérébraux, assurés par les neuromédiateurs se dérèglent. Dérèglement que nous essayons d'ajuster par des médicaments psychotropes (agissant au niveau du cerveau) mais drogues qui ne parviennent qu'imparfaitement à endiguer cette montée « d'énergie perverse ». Peur, haine, rancœur états d'esprit, ne rencontrent plus de résistance et envahissent l'être, niant cette personnalité qui s'était imposée toute une vie.

Injustice que toute une vie de dévouement pour une fin rongée de haine ? Oui, parce que nous ne sommes pas responsables de ces mémoires originelles et que nous ne les avons même pas perçues. Non, parce que nous sommes responsables de ce que nous bâtissons, et nous pouvons apprendre à choisir le terrain. Nous ne pouvons être tenus coupables des marécages qui envahissent la moitié d'un pays mais nous sommes responsables d'avoir bâti là sans en avoir tenu compte.

Le changement de caractère peut être l'aboutissement d'une vie et d'un état d'esprit. Mais il est une autre forme qu'il peut prendre ; la maladie. Tel ce comédien, qui a entraîné sa mémoire de pièce en pièce et de jour en jour, et qui, subitement la perd par bribes avant d'être terrassé par ce que nous nommons la maladie d'Alzheimer. Toute une vie construite sur une émotivité de détermination, sur une attitude mentale d'exercices cérébraux, mais basée parfois sur un état d'esprit de peur, de haine, de rancœur. Même exemple que précédemment mais autre voie d'expression qui mettra en avant une usure cérébrale, une dégénérescence physique de neurones. Les comportements disparaissent peu à peu, une émotivité de non-sens les remplace et l'être sombre dans une sensibilité générale, vibratoire qui n'a plus de lien avec cette personnalité construite. L'individu n'existe plus, il devient le passage de ces mémoires vibratoires états d'esprit. Perdu dans un monde qui n'est plus le sien, il aborde les rives de ces mémoire ancestrales, de cette éternité pesante quand elle est noire.

Tous ces états d'esprit, ni perçus, ni exprimés, mais tirant les ficelles de notre vie en coulisse, peuvent donner lieu à ces « mensonges », « demi-vérités » ou « vérités absolues ». La violence état d'esprit par exemple, jugulée chez le jeune enfant, peut devenir agressivité bien administrée par un homme d'affaires ou détournée par le toxicomane. Socialement, nous mettrons l'homme d'affaires au-dessus du toxicomane, en état d'esprit, sans aucun jugement de valeur de ma part, c'est identique. La violence état d'esprit continue à ronger. L'être humain se défend comme il le peut avec ce qu'il a, détournant son but vers la recherche d'une société meilleure et d'une richesse personnelle ou vers un monde meilleur et une marginalité provocante.

Nous pourrions multiplier les exemples, ce qui ne m'intéresse pas, j'expose ceci pour qu'à la façon d'un exercice, vous puissiez à votre tour pressentir les détours compliqués que notre personnalité impose à ces états d'esprit qui l'ont créée, et surtout, saisir le signal d'alarme qui peut tout sauver.

Naturellement, je précise une fois encore que ce sont des états d'esprit de paix et de joie qui pourraient prendre la direction des opérations. Ces états d'esprit, nous ne nous lassons pas de les contempler chez ces vieillards qui n'ont plus cette mémoire intellectuelle tant prisée mais qui répandent autour d'eux l'espoir et la sérénité, jeunes au-delà de leur âge.

Il y a deux façons d'être dans la lumière. En volant sous les nuages où le temps est clair mais couvert, en survolant ces nuages où le ciel est bleu et brillant. Ces nuages ou mémoires noires, ces masses sombres, oserons-nous les traverser avec le seul espoir, sans garantie, d'atteindre un ciel bleu ?

En résumé, voici pour moi quelques points fondamentaux avant d'aborder les rives de la gérontologie :

— un état d'esprit aura pu ne jamais paraître sinon à la fin de la vie. D'où l'importance de parvenir à le saisir avant ;

— une émotivité et attitude comportementale paraissant faire partie de l'être n'auront été qu'apparence et contrôle. «Mensonge de bonne foi» qui devrait nous rendre plus circonspect quant à nos certitudes ;

— un état d'esprit qui ne peut plus être arrêté par un corps affaibli par les ans, pas davantage par un cerveau lui aussi affaibli par l'âge, va, à la façon d'une vague, submerger ce que nous croyions inattaquable ;

— notre force de caractère, née exclusivement de notre personnalité devient notre pire ennemi. Une force de caractère, acquise par la faiblesse de se sentir dépassé par notre origine, devient notre ami le plus cher. Seul, face à l'univers, celui-ci nous anéantira. Seul, avec l'univers, nous suivons sans heurt le cours des siècles.

Dans notre vie et notre vieillesse, notre médecine ne peut voir que la maladie individuelle. Elle soignera si elle le juge nécessaire le foie, le rein, le cerveau, elle conseillera moyens mnémotechniques et nouvelles activités motivantes, jusqu'à ce que tout devienne inutile.

La médecine, dans cette course à la vie terrestre, nous prive parfois de notre éternité. Saisir cet état d'esprit à la fin de notre vie, quand nous n'avons pas pu, ou pas su le faire avant, c'est une ultime tentative de réconciliation ; échapper à cette emprise millénaire non par la fuite mais par l'acceptation, c'est aussi en libérer nos descendants, seul héritage qui durera plus de quelques générations.

TROISIÈME PARTIE

Accepter sa mémoire ; une question d'avenir

Celui qui ne sait pas se fâcher est un sot, mais celui qui ne veut pas se fâcher est un sage.

Le grand défaut des hommes, c'est d'abandonner leurs propres champs pour aller ôter l'ivraie de ceux des autres.

Mong Tseu

Ainsi va le monde...

Amusons-nous, comme par un jeu de l'esprit à retrans-
former le monde en son état d'esprit, puis observons ce
que nous en avons fait à une dimension humaine. Prenons
déjà le cas de chercheurs, de scientifiques, de philosophes,
de poètes, d'artistes, enfin de créateurs.

L'être qui crée, recrée dans son monde ce qu'il perçoit
« dans l'autre ». Quand je parle d'autre monde, nulle allusion
à un espace mais à un état d'esprit ; ce qui fait vibrer artistes
et chercheurs, c'est cette perception mouvante et indéfinis-
sable qui les envahit, amenant certitude intuitive, plénitude
de l'âme et désir d'exprimer dans notre langage ce qui est
hors, et du langage et du temps et de l'humanité.

Cette joie initiale d'être « plus que soi » devient vite
tourment et désespoir quand l'impuissance humaine apparaît : impuissance à prolonger cette vibrance sinon en la
figeant, déception d'avoir, en la figeant, perdu la vibrance
originelle. Malgré les rythmes et les sonorités qui nous
enchantent, les mots auront trahi ce que le poète aura saisi ;
le musicien qui ne reconnaît qu'imparfaitement ce qu'il
avait entendu ; le peintre qui ne retrouve pas les nuances
perçues au fond de lui ; le chercheur déconcerté devant
la petitesse de ses travaux par rapport à ce qu'il pressent.
Et le choix de toute une vie deviendra clair en restant
cornélien : accepter que meure cette plénitude en soi, parce
que l'on aura voulu la rendre vivante aux yeux des hommes
ou déborder de désirs insatisfaits parce que d'avance, nous

savons que la perfection n'existe pas et qu'il n'y a pas d'autre choix que de se taire. Là encore je ne ferai pas l'effort de distinguer et de mettre par catégorie ce que j'appellerai artistes en tout genre, qu'ils soient mystiques ou scientifiques, médecins ou guérisseurs, poètes ou musiciens, écrivains ou éducateurs, philosophes ou psychologues, athlètes ou danseurs... tous mettent corps et âme au service d'un inconnu originel dont ils se « souviennent » par intuition et qu'ils recherchent par la raison. Prenons l'exemple de l'initiateur d'une méthode, qu'elle soit pédagogique ou para-médicale. L'auteur, chercheur dans l'âme, aura trouvé dans sa pratique le moyen le plus juste de dépasser ce qu'il savait pour offrir ce qu'il sent. Sa nouveauté, son originalité lui vaudront vite des adeptes, fanatiques ou raisonnables qui le soutiendront mais qui malheureusement, humanité oblige, deviendront peut-être les geôliers de son esprit, car cet homme, dans son désir personnel de mieux traduire ou de rendre accessible à tous son travail se heurtera, dans une société de chiffres et de lettres, à l'obligation d'établir catégorie de symptômes, protocole d'action, grille de résultats et justification statistique de son travail.

Ce ne sont pas là de mauvaises choses en absolu mais au nom de leur notoriété combien de chercheurs devenus administrateurs, de pédagogues qui ne voient plus d'enfants, de psychothérapeutes ignorant le monde humain, de médecins ne rencontrant plus de malades. L'état d'esprit, figé par le cerveau, le corps, l'intellect en une conviction intellectuelle, meurt pour l'éternité en entrant dans le temps humain : il commence une autre vie de coque vide qui a connu l'amande mais qui ne peut plus donner la vie. Et de voir les disciples du maître devenir intolérants dans leur désir de sauvegarder l'idée du maître, maître dont le seul désir serait parfois de retrouver cette petite flamme intérieure et de briser le foyer qui l'étouffe.

Que faire ? Fuir à toutes jambes quand vient la célébrité pour n'en avoir que la joie sans les responsabilités... Renoncer à exiger la paternité d'une création, la donner sans condition, ni franchise, ni droits d'auteurs, partant du principe que si d'autres s'emparent de nos idées eh bien, nous en aurons d'autres… Trouver un compromis entre l'attitude de défendre son œuvre et de risquer d'en être prisonnier, ou la laisser aller et risquer d'être escroqué. Je n'ai pas de conseil ni de solution idéale à donner, je me suis efforcée d'y réfléchir pour moi-même et surtout, je voudrais juste que chacun s'interroge sur cet état d'esprit originel, ce « rien » qui vit mais qui est vite étouffé par ce « quelque chose » qu'est la pensée humaine : pensée humaine que l'on sait mortelle et qu'on s'empresse, dans ce désir émouvant de laisser quelques mémoires de nous-même, de transmettre dans les obligations de toutes sortes, les principes immortels, les théories nouvelles.

Garder vivant un état d'esprit en évitant de le caricaturer consisterait peut-être à accepter de changer souvent d'avis et de façon d'agir. Pourquoi ne pas admettre que l'individualité ne dure qu'un temps, qu'elle est issue d'une collectivité et redeviendra collectivité ? Et cette phrase nous rappelle : « Souviens-toi que tu es poussière et que tu retourneras en poussière… »

Réminiscence qui nous fait aborder l'état d'esprit de la religion qui, par excellence, saisit ce tout dans lequel l'être n'est qu'une silhouette. La religion révèle ce besoin inhérent à l'homme et à la matière de témoigner de ce qui lui a donné la vie. De donner forme humaine à ce qui dépasse l'être humain, de figer enfin et toujours l'illumination d'un instant, porte ouverte sur l'éternité. Et cette illumination brève, commune à tous, accessible à chacun, entreprendra à son tour ce long voyage qui l'emprisonne à travers corps et esprit humain exprimant cette révélation sans paroles en prophéties, menaces, prières, contemplation ou rituels.

La religion issue d'une spiritualité commune à tous devient différente selon peuples, races, clans, pays, climat. Empruntant pour se vêtir les éléments de la nature, imposant pour se faire entendre la langue d'une époque, s'immisçant dans les actes quotidiens elle ne manque pas d'interprètes ni d'interprétations différentes. Devenue visible, elle risque de ne plus vivre que par elle-même et de perdre ce fil conducteur ténu qui l'avait révélée. L'homme la construit à son image et donne vite au monde spirituel, ce « rien » vivant, l'allure de notre monde humain avec ses hiérarchies, ses démons, ses intolérances et ses grandeurs. Les perspectives qui se présentent à lui sont l'intolérance issue d'une trop grande conviction et le contrôle né d'une trop grande fidélité. De ces qualités mal traduites proviennent ces guerres tous azimuts, guerres saintes ou massacres odieux qui sont une et même chose, mésentente entre peuples et sociétés, incompréhension dans les familles, les couples et même parmi les enfants.

Nombreux parmi nous avons vécu l'emprise d'une religion qui fait peur ou culpabilise, nombreux parmi nous avons fait l'effort de nous dégager de ce carcan, nombreux parmi nous retombons de temps en temps sous l'emprise d'un psychologue ou d'un conjoint ou d'un maître spirituel.

Toute religion est défendable mais pas au prix de la haine, car alors nous oublions l'état d'esprit originel qui l'a fondé qui n'est qu'amour. Toute religion peut-être remaniée au gré des époques et des hommes. Seule la forme change et non le fond.

Pourquoi ne pas admettre que le fond, ce « rien » qui vit, ne prend pas valeur de certitude à travers les enseignements boudhiques, chrétiens, juifs, musulmans... mais juste de traduction. Et pourquoi ne pas laisser vivre en paix ceux qui auront trouvé une interprétation différente ou qui simplement mettront leur religion dans l'acte d'aimer un peu plus chaque jour et de haïr un peu moins chaque nuit.

Toute créature vivante, toute œuvre de la nature ne pourrait être que le reflet dans un monde visible d'un état d'esprit invisible. Un même état d'esprit de paix ou de joie peut habiter une famille dont la dominante est un rayonnement intérieur, mais peut habiter aussi un pays dont la douceur nous émeut, un animal dont l'innocence nous ravit, un paysage où tout respire la paix. Un même état

d'esprit de hargne peut se trouver de génération en génération dans familles et peuples qui se révoltent, mais aussi
dans un pays ravagé par les éléments, un animal que l'on
jugera cruel, un paysage torturé et pourtant parfois
séduisant.

Quand je parle d'état d'esprit de peur ou de joie je
n'émets pas un jugement de valeur mais essaie plutôt de
nommer ce qui n'est qu'un souffle. Pas plus de jugement
de valeur que lorsque je constate le froid du dehors ou la
bise légère. Je tiens à cette nuance car si j'emploie les
mêmes mots, peur, haine, joie quand je parle d'émotivité
et d'état d'esprit je ne désigne pas la même chose : l'émotivité de peine par exemple est toujours liée de près ou de
loin à un événement, une situation, un personnage. De très
loin, lorsque la mort de votre chat vous a marqué depuis
l'enfance, de très proche quand vous pleurez aujourd'hui la
mort de votre chat hier. Proche ou lointain, vivace ou
refoulé, le lien de cause à effet est là.

Par contre quand je cite l'état d'esprit de peine je ne
fais allusion à aucun événement, personnage ou situation.
Je ne décris qu'une atmosphère, un climat de tristesse qui
nous tombe dessus sans que nous sachions pourquoi et sans
nécessairement que nous puissions accuser nous-mêmes ou
le voisin.

Et si l'on considère cet état d'esprit qui anime notre
vie et tous les règnes végétal, minéral, animal, qui sous-
tend particularités climatiques et géographiques, on voit se
dérouler un impressionnant chassé-croisé de résonnances et
d'attirances, par contraire ou par ressemblance, et l'on peut
jouer à ne sentir que le « vent d'esprit » sans s'attarder outre
mesure à l'histoire, l'époque ou les événements nés de ce
vent. Autant de révolte de haine et d'amour à travers les
mondes, mais combien de styles.

Lorsqu'on s'intéresse aux relations entre hommes et
femmes, enfants et adultes, familles et peuples, races et
races, on peut le faire par l'analyse des réactions émotives
provoquant discussions et conflits, on peut le faire par

l'analyse des événements générateurs de réactions émotives. On peut choisir de le faire, comme c'est mon cas, en ignorant sinon comme balise ou référence l'événement ou l'émotion, pour aller droit à l'état d'esprit, qui pourra ressembler à l'émotivité mais qui pourra aussi ne pas lui ressembler. Pour éviter les méandres d'un psychisme qui justifie et absout bien des horreurs, ou qui, au contraire, se culpabilise et se soumet à tout, mon travail se fera toujours dans un contexte non-émotif et avec des exercices peu compromettants. Nous y reviendrons.

Retournons à la famille. Un homme et une femme vibrent au-delà des mots sur une résonnance subtile. Amour fou, légèreté des premiers instants amoureux, j'ai coutume de dire que l'on tombe amoureux avec ce qu'il y a de plus pur en soi, l'état d'esprit d'amour, moins humain que divin mais aussi difficile à tenir en laisse qu'une gazelle du désert.

Si le couple se fonde sur un amour profond, il se bâtit souvent, d'abord à notre insu, sur des « mémoires noires ». Mémoires familiales que nous désespérons de retrouver chez nos descendants et qui transforme l'amour en domination pour certains, en fuite pour d'autres, en dépendance pour d'autres encore, comme si, figé, l'amour ne restait plus l'amour et commençait cette nouvelle vie de coque vide qui a perdu son amande. La vie qui exige des services de plein droit entre conjoints, ou des obligations, ou des nécessités, ou des loisirs à tout prix, devient incompatible avec cet amour vibrant qui ne connaît ni partage de tâches ni peur de perdre l'autre.

Thérapeutes et psychologues s'attaquent, quand les relations d'exigences et d'insatisfactions se sont installées, sur le pourquoi et le comment, sur les façons d'accorder à l'un et à l'autre ce qui leur manque. Je n'agis pas de la même façon. J'essaie de retourner vers cet amour initial et d'en resaisir la mouvance du temps où il n'était pas figé. Et puis... à chacun de faire comme il veut.

Surtout plus de certitude... Un couple au vu de l'état d'esprit peut inverser totalement ses positions de victime et coupable, le dépendant être profondément solitaire ou violent, le fuyard vulnérable et attaché, le soumis enragé de colère et le violent profondément doux et peureux. Ne plus aimer pour n'être pas dépendant ? Aimer sans vivre avec l'être aimé ? Aimer plusieurs êtres pour rester seul et autonome ? Accepter tout de l'autre et y trouver son plaisir ? Donner tout de soi et ne rien demander en échange ? Pas de solution miracle, beaucoup de révolte devant ces phrases dans une époque où l'on ne se laisse pas faire. Mais... une piste, pourquoi pas ?

Un couple, c'est déjà deux êtres au même niveau de maturité dans des âges comparables et avec des sources d'intérêt communes tandis qu'un enfant face à un adulte présente une relation faussée d'avance. Faussée parce qu'incontestablement, son âge le soumet à l'adulte, son immaturité le rend impuissant par son corps et son esprit. Faussée parce que, malgré cette immaturité de fait, il est animé d'un état d'esprit qui ne grandit pas en âge et en sagesse, mais qui est, et qui le fait vibrer en résonnance avec l'état d'esprit de l'adulte. Et au-delà des conflits de générations des théories d'affirmation de soi, de séparation avec l'adulte, je m'adresse à cette fusion d'état d'esprit qui, se moquant des époques et des sources de conflits, tisse entre l'adulte et l'enfant une résonnance subtile mais déterminante. Plus question alors de ne voir chez le bébé que l'ange innocent mais également l'état d'esprit de peur ou de violence. Pas davantage de ne juger que la révolte de l'adolescent mais de constater aussi un état d'esprit d'amour et de paix.

Savoir admettre que si l'enfant est par définition enfant de ses parents, plus petit dans la hiérarchie familiale, plus limité dans ses réflexions intellectuelles et moins expérimenté dans la vie, il est, dans son état d'esprit, aussi « achevé » que ses parents, habité de mémoires qu'il ne sait pas connaître, d'expériences qu'il n'a pas vécues. Plus encore, pourquoi ne pas reconnaître que, plus complexe que la génération dont il est issu, il est aussi plus riche dans son être et son devenir ? Devant ce constat face à l'enfant, il nous reste à faire amende honorable en tant qu'adulte car au long des années, cet état d'esprit, nous l'avons domestiqué tant au travail qu'à la maison, tant par rapport à nous-mêmes qu'aux autres, et c'est avec une absolue bonne foi que nous montrons aux jeunes, une compréhension pour cet âge difficile qu'est l'adolescence, un sens pédagogique pour aborder avec lui ses problèmes et... une condescendance pour ce qu'il ne connaît pas et que nous croyons connaître.

Échafaudage qui s'écroule bruyamment au moindre conflit car l'enfant et l'adolescent, surtout quand ils sont nôtres, nullement impressionnés par ce « mensonge », font rejaillir en nous cet état d'esprit de violence primaire que nous avons oublié.

Le conflit prend forme. Éperdus de violence, nous le justifions par une éducation qui doit imposer des limites (c'est vrai mais c'est souvent hors sujet au moment où c'est dit), blessés au plus profond de l'âme, nous crions vengeance mais la traduisons, toujours au nom de l'éducation, par des exigences normales.

Normales, oui, et l'adolescent bien souvent ne trouve rien à redire à rendre service ou à accepter une certaine autorité, mais se rebelle instinctivement quand les services demandés ou l'autorité manifestée sont le reflet d'un désir de domination, c'est-à-dire d'une violence, ou d'une vengeance, c'est-à-dire d'une autre violence.

Paroles échangées sans mots, vibrances imperceptibles souvent pour l'une ou l'autre partie, construisent contresens sur contresens quand vient le temps pour cette vibrance de se déguiser en émotivité. Et c'est ainsi que mon rôle, par des exercices que j'exposerai plus tard, ne consiste ni en un arbitrage, ni en une conciliation, pas davantage en un jugement, mais encore et toujours à saisir cet état d'esprit venu du fond des âges qui renaît l'espace d'une vie dans un adolescent de quinze ans et dans son père de quarante-cinq ans...

Il est si difficile parfois pour un enfant de concilier ce temps auquel il prend part et cette éternité dont il se souvient vaguement. Bien des enfants se sentent humiliés d'être traités en enfant quand leur compréhension dépasse celle, intellectuelle, de l'adulte. Et cette sagesse qu'on nomme parfois naïveté, cette innocence qu'on prédit bientôt disparue, cette maturité que l'on croit posséder quand on est grand, empoisonnent les rapports lorsque l'enfant sait, mais ne peut s'exprimer, quand l'adulte sait s'exprimer mais ne sent plus, quand l'enfant décèle l'impuissance de l'adulte et que l'adulte se sent deviné par l'enfant.

Sur le même principe, pouvons-nous saisir l'état d'esprit d'un peuple, d'une société, d'une entreprise ? À l'échelle au-dessus l'état d'esprit ne fait plus corps avec un individu mais se fait l'enveloppe d'un ensemble. Et sur ce principe, un employé qui atterrit dans une entreprise est souvent, à son insu, quelquefois pour le meilleur ou pour le pire, entré en résonnance avec l'état d'esprit fondamental, qui peut être également traduit par un mensonge plus collectif, qu'on appelera éthique, et qui cachera sous des principes humanitaires un désir de domination. L'inverse peut être présent dans ces entreprises agressives fondées sur un état d'esprit très généreux.

À ce niveau, pas davantage de certitude. Les liens qui se tissent entre employés et patrons, s'ils évoluent au dire du syndicat ou du patronat sur le mode victimes-coupables, gendarmes et voleurs, dichotomie claire, sont beaucoup moins dissemblables dans leur fond. Et l'exigence d'un employé vis-à-vis d'une entreprise est une forme de violence qui peut rappeler l'agressivité de certains patrons. Qui a commencé ? À qui la faute ? Je ne rentrerai certes pas dans une telle polémique, je me contente, selon mes capacités, de désamorcer chez certains cette résonnance sournoise responsable d'une dépendance hargneuse de la part de l'un et l'autre et ainsi, pourquoi pas, donner à l'un et à l'autre une indépendance qui se traduise par une paix dans le même emploi ou par la possibilité de changer d'emploi.

Peuples et races sont sujets également à cette emprise qui peut se propager, non par des voies génétiques mais bien plus vibratoires. L'enjeu devient plus crucial lorsque cette résonnance initiera une haine tellement cristalisée qu'elle engendrera le massacre de peuples entiers ou de races. Victimes de l'histoire, ces esclaves blancs, noirs ou jaunes, ces peuples décimés, sont habités par autant de révolte que de soumission. Soumission obligatoire devant la force, dira-t-on, et révolte compréhensible face à cette brutalité. Oui et ce n'est pas à ces faits indéniables de l'histoire que je m'attaque, mais à l'état d'esprit, toujours cet état d'esprit qui se moque de nos valeurs sociales, et dont la violence a parfois précédé l'esclavage. État d'esprit qui ne sait pas que le vent violent qu'il provoquera sera à l'origine de l'agressivité d'un peuple, agressivité que le peuple essayera de réduire lui-même, grâce à des rituels, ou des danses, ou seulement des convictions, agressivité domestiquée, mais qui résonnera sur la violence complémentaire d'un peuple en mal de domination. Que l'on comprenne bien ce que je veux dire : je ne justifie pas ni n'absous les crimes commis, la justice humaine fait ce qu'elle peut.

Je me place à un autre niveau, celui de l'état d'esprit, où il n'y a pas de justice humaine, ni de jugement de valeur sur une sainte colère ou une juste violence. Il n'y a qu'une violence, identique chez l'oppresseur et l'opprimé mais traduite chez l'un en soumission, chez l'autre en domination.

La justice humaine parvient tant bien que mal et parfois plus mal que bien (mais qui lui lancerait la pierre devant l'impuissance où nous nous trouvons tous à endiguer cette haine ?), à contenir ces conflits qui, périodiquement, renaissent quand cette vague d'état d'esprit, lassée d'être endiguée, explose subitement et change parfois du tout au tout les positions de victimes et d'agresseurs. L'histoire évolue de siècle en siècle, les opprimés d'avant-hier deviennent les oppresseurs de demain, la haine et la violence demeurent insensibles aux flétrissures de l'âge, n'ayant rien perdu de leur force au cours des âges. L'hiver prochain ne sera pas moins froid parce que plus vieux, mais nous, nous aurons peut-être plus de mal à contenir ce froid. L'état d'esprit ne vieillit pas, si nous perdons des forces chaque année...

Cet état d'esprit qui ne vieillit pas peut rester tapi dans l'ombre des années ou des siècles et réapparaître dans le contexte d'une malédiction. Les contes fantastiques et la littérature de chaque jour témoignent de cette persistance du malheur. Les familles que rejoignent des drames identiques décennie après décennie, ces familles dont on dit : « Une fois que le malheur est dessus, ça ne s'arrête plus. » Ces coïncidences qui font mourir père et fils, grand-mère et petite fille dans des situations analogues, engendrent une mémoire devenant vite crainte superstitieuse. La superstition est déjà l'appréhension d'un état d'esprit dont on essaie de se protéger par des gestes symboliques ou des rituels compliqués. Ne donnons pas trop de valeur à ces signes terrestres, à ces manifestations humaines, mais pourquoi ne pas saisir, au-delà des événements, l'état d'esprit, vent violent de destruction ou pluie de tristesse assaillant discrètement mais opiniâtrement l'être humain qui se défend comme il peut contre cet ennemi qu'il ne voit pas.

La résistance est-elle vraiment le moyen de fuir ces « malédictions » (que je nomme état d'esprit pour leur enlever toute connotation magique) qui envahissent nos vies, nos guerres, nos entreprises, nos sociétés, nos races ?

Interrogeons-nous. Quand, au nom de principes humains, nous décidons de tuer des peuples qui en déciment d'autres, le faisons-nous juste par compassion ou avec un « rien » de vengeance et de rage ? Intervenir, oui, haïr, non. Et les rages des téléspectateurs devant les massacres commis ressemblent terriblement à la haine de ceux qui tuent...

L'acceptation de l'état d'esprit et non des faits, ne pourrait-elle pas ouvrir une autre voie quand, résonnant autrement que sur une fréquence de haine, nous n'avons plus besoin de la fuir ou de la juger pour n'y point succomber ? Toujours là, elle ne nous atteint plus et va

porter ses fruits ailleurs, là où elle pourra entrer en résonnance, là où, toujours au nom de la justice, la haine
fomentera les prochaines guerres...

Et le monde tourne
en rond...

Cet état d'esprit, dont je viens de parler abondamment, est celui-là même qui par des voies diverses peut se traduire chez un individu, tour à tour en un léger malaise sans maladie, à une vraie maladie, à des réactions émotives inappropriées ou à des attitudes mentales déplacées.

Autrement dit, la violence peut devenir «coup de poignard» fugace dans le dos, peut devenir pierre au foie, peut devenir colère épouvantable ou soumission rageuse, peut devenir acte de violence ou fantasmes jugés honteux. La haine peut prendre les mêmes voies, la tristesse également, la joie et la paix peuvent à l'extrême provoquer également douleurs ou malaises. Je me garderai bien d'associer de façon péremptoire un organe avec une émotivité, une maladie avec un état d'esprit, pas davantage je n'affirmerai que l'on crée sa maladie, ni qu'on peut à soi tout seul la guérir.

Pour l'instant, je me contenterai d'affirmer qu'il y a malaise et que le patient a le désir de guérir.

Affirmation simple qui déclenche une cascade d'opportunités de guérir, de méthodes, d'approches qui sont toutes vraies, mais qui font l'objet de préférences selon chacun. Ce sont ces approches, que nous allons succinctement aborder, non pour les critiquer mais les observer au vu de cette notion d'état d'esprit et nous efforcer de distinguer leurs mode et lieu d'action sur l'être humain. Comprendre comment leur lieu et mode d'action ont fait naître une catégorie de praticiens qui se sont spécialisés dans ce mode d'expression. Ainsi nos médecins occidentaux se sont-ils adjugés le corps et par une technologie sans cesse plus perfectionnée cette médecine est devenue reine du détail, du découpage en section, de la précision, mais est devenue également dépendante de cette qualité : il faut qu'une maladie soit apparue pour que l'arsenal de spécialistes et de techniques puisse donner son plein rendement. Déconcertés par une maladie qui n'est pas encore maladie, certains la nieront, d'autres la qualifieront de « c'est dans la tête », d'autres enfin orienteront leurs patients vers des médecines alternatives, moins scientifiques, mais pourquoi pas, fiables aussi.

Et du médecin de la matière, nous passons à une médecine énergétique. Médecines anciennes qui ont persisté ou qui renaissent de leurs cendres, la médecine chinoise, tibétaine, ayur-védique ne saisissent plus l'homme organe après organe, mais dans un halo énergétique. Méridiens, chakras, corps subtils ne sont pas le corps physique, ne sont pas non plus dispersés, mais sont un intermédiaire entre l'un et l'autre. La maladie qui n'est pas encore maladie prend souvent naissance là. Déséquilibre vibratoire imperceptible aux yeux ou par les appareils de mesure, perceptible par l'être humain qui saisit pouls chinois ou symptômes subtils. Le traitement devient aussi peu visible que la maladie : des aiguilles modifient les champs électriques, l'imposition des mains ralentit ou accélère les pouls. Je n'entamerai aucune discussion pour ou contre, je constate des faits difficilement contestables quant au bien-être que peuvent provoquer ces séances.

Les limites de ces techniques sont de deux ordres. La première survient quand cette maladie qui n'est pas encore maladie se révèle finalement dans la matière et qu'il est alors plus prudent d'aborder de front deux médecines ;

celle occidentale qui enrayera le processus physique, celle énergétique qui s'efforcera qu'il ne se produise plus.

La deuxième limite apparaît quand, après de multiples séances, aucune amélioration ne survient ou l'amélioration reste passagère. Inutile d'accuser le patient, le médecin ou l'acupuncteur, mais plutôt essayer de saisir ce que j'appelle l'état d'esprit, ce que d'autres nommeront la pensée, qui au-delà des traitements continue de frapper sans relâche. Et c'est là une autre forme de médecine dont je me suis petit à petit dissociée après en avoir été fermement convaincue. Nous entrons dans le domaine de la psyché agissant sur le soma, qu'il ait donné lieu à notre psychosomatique ou à toute forme d'approche millénaire unissant corps et esprit.

La psychosomatique : le principe est clair. Nos pensées, nées de conflits ou de tensions internes agissent sur les fonctions métaboliques. Du « ras le bol » au « plein le dos », nous passons à des difficultés digestives ou vertébrales : le lien est clair s'il est difficilement diagnostiquable. Entrent en jeu toutes les techniques qui permettent de relaxer pour mieux réfléchir ou de réfléchir pour mieux relaxer. Relaxation, méditation, visualisation, pensée positive, autant de flèches dans le carquois selon les individus, leurs personnalités et leurs préférences.

Parfois, les réussites sont splendides, parfois elles durent peu, parfois elles sont inexistantes. Renonçons à accuser le patient qui, la plupart du temps, ne se complaît pas à souffrir, essayons d'aller voir plus loin, dans ce qui constitue pour moi la limite de la psychosomatique.

L'on associe l'émotivité à la maladie, la pensée négative aux malaises. Fort bien, mais quelle pensée ? La pensée née d'un cerveau humain, sur laquelle nous avons relativement prise, ou la pensée que je nomme état d'esprit, ni perçue ni exprimée, qui agit par en dessous ? Toute la différence est là, car s'il est relativement aisé d'affirmer « je veux guérir » et de se discipliner dans se sens, il est beaucoup plus difficile de reconnaître un ennemi qu'on ne voit pas, qui entonne sans qu'on l'entende un chant de désespoir.

Pendant dix, vingt, trente, parfois cinquante ans, cet état d'esprit, mémoire ancestrale qui préexiste à l'individu et lui survit, qui n'est pas fonction du temps mais apparaît dans un contexte temporel, qui n'est pas fonction de notre vie mais apparaît dans le cadre de notre vie, a frappé sans relâche et nous atteint imperceptiblement par des voies énergétiques, léger malaise sans gravité, puis entreprend un voyage à travers la matière où cette fois-ci la maladie apparaît : cancer, tuberculose, ulcère, inflammation sont le langage humain de cet état d'esprit non-humain. Parallèlement et souvent plus vite, ce même état d'esprit est traduit en un langage émotif qui prend feu aux événements de la vie. Ce qui est pierre au foie devient aussi colère au cerveau devant un événement incontrôlable. Et nous d'associer cette rage apparue depuis plusieurs années à ces pierres au foie. Foie et violence, poumon et tristesse, rate et réflexion, la médecine chinoise tout comme les approches corporelles lient organes et émotivité, prouvant l'effet de l'un sur l'autre. Quant à moi, je considère cette rage et ce foie malade comme deux conséquences exprimées différemment et décalées dans le temps du même état d'esprit, venant de loin, de très loin et qui, laissé en liberté, continue son œuvre de destruction.

Je ne prétends pas que les techniques d'autoguérison ou l'approche psychosomatique soient inefficaces. J'avance seulement que dans le cas où l'échec domine la réussite, nous nous heurtons à cet état d'esprit qui n'est pas né de jeux de neurones mais qui fait naître pensées et jeux de neurones tout en restant lui-même hors jeu. L'attitude mentale consistant à ne jamais se laisser abattre mais toujours combattre, si elle est valorisée par notre société humaine, est parfois une couverture honnête pour de louches machinations de destruction. Qui accuserait un père tranquille de résistance acharnée ? Il peut agir dans l'ombre et c'est ce que l'état d'esprit fait.

Je ne nie pas toutefois le concept de psychosomatique mais lui donne plutôt une valeur de signal d'alarme moins destructeur qu'on ne le pense habituellement. Ultime message parfois détourné, souvent hors contexte, qui a le mérite d'attirer notre attention sur cet ennemi invisible qui se déchaîne. Le mal de cou opiniâtre depuis des années et que l'on associe à la tension de l'ouvrage signale peut-être que de loin, de très loin, un état d'esprit de rage attaque le ventre, dont on ne souffrait absolument pas !

Associer émotivité et maladie n'est pas nouveau. L'antiquité ne l'ignorait point, à travers médecines et âges, le contexte émotif a toujours eu sa place. Parfois, bien sûr, la science « exacte », refusant ce qui est peu palpable et hors de son contrôle, attaque et ridiculise l'effet qu'elle appelle placebo quand des patients retrouvent un bien-être par des médecines alternatives. Qu'à celà ne tienne, placebo peut être un joli mot pour remplacer celui d'émotivité, les faits n'en seront nullement modifiés.

Et c'est ainsi que nous entrons dans le domaine de psychologie où cette fois-ci l'émotivité est reine. Une autre voie d'accès pour ceux qui ne sont pas malades mais regorgent de malaises dits « psychologiques », une porte pour ceux qui n'ont aucun malaise physique mais présentent un mal de vivre ou une insatisfaction d'eux-mêmes.

La psychologie a elle aussi ses spécialités et l'on voit fleurir toutes sortes de disciplines, d'approches qui ont leur raison d'être et qui sont soumises à la préférence des clients. Filles de la psychologie et petites-filles d'approches plus anciennes, les psychothérapies leur emboîtent le pas dans un but toujours avoué d'aider leurs patients à apaiser leur esprit.

La psychologie s'intéresse à tout ce qui est mémoire, mémoire émotive nourrie d'impressions indéfinissables et de souvenirs vécus. Lorsque cette mémoire dérive, vers un trop plein ou un vide, elle se traduit dans la vie quotidienne par une souffrance avant tout morale et parfois physique. Selon thérapeutes et thérapies, l'on s'orientera sur l'analyse du psychisme ou sur la modification du comportement. De l'un à l'autre, des nuances viendront s'établir, enrichissant le spectre des thérapies offert à chacun d'entre nous.

Où nous rejoignent ces thérapies ? Leur mode d'action n'est de toute évidence pas au niveau physique sinon par répercussion. Elles agissent sur cette entité fugace et mal définie qu'est le psychisme, elles seront toujours envahies d'une auréole de subjectivité, à travers ce qui est senti, entendu, vu et remémoré. Voir une science dans la psychologie et ses suivantes me paraît difficile. Ce n'est point là une critique, juste une interrogation sur la prise réelle et concrète que l'on peut avoir sur un cerveau, quand on en considère l'activité et non l'anatomie. Contentons-nous donc d'accepter l'emprise que la vie, le thérapeute et le patient ont les uns sur les autres sans vouloir la mesurer ou l'ériger en certitude.

Leur but ? Être efficace, avec soi, les autres, la société, l'entreprise, etc.

Leur language ? Il diffère selon les approches mais s'adresse toujours à la personnalité de l'individu par le biais de sa façon d'être, visée suprême d'une psychologie comportementaliste, ou par le biais de sa façon de penser. Dans le premier cas, le conditionnement opérant parviendra à modifier une attitude perturbatrice, dans une situation professionnelle par exemple. Dans le deuxième cas, la réflexion profonde basée sur l'émotivité ressentie et l'expérience acquise permettra la mise au point d'objectifs, le refus de certaines situations, éventuellement la recherche de souvenirs occultés et d'émotivité refoulée.

Action ou analyse, rappel du passé ou projection dans l'avenir, thérapie longue, thérapie brève, thérapie de toute une vie, s'adressent à la personnalité de l'individu. Et par là même, selon moi, elles atteignent les mêmes limites dans un autre domaine que la médecine ou la psychosomatique. La psychologie se trouve parfois impuissante quand le patient tourne en rond de souvenir traumatique en souvenir traumatique, dans différents âges ou contextes, d'émotivité en émotivité, suivant aussi le cours de la vie et des événements, et ne parvient pas à une évolution marquante. Lorsqu'il est lassé d'accuser les autres ou de s'accuser lui-même, lorsqu'il change mais ne se reconnaît pas dans ses changements ou quand il souffre sans rien avoir vécu d'éminemment traumatisant...

Comme si notre homme se désespérait de voir toujours mourir ses palmiers quand il les soignait si bien. Il ignorait qu'il vivait dans un pays où le froid paralyse les palmiers... et qu'il lui faudrait, sans accuser ni lui-même ni les palmiers, déménager sous les tropiques ou construire une serre... accepter l'état d'esprit de froid pour n'y plus donner prise dans la vie quotidienne...

Curieusement nous retrouvons à ce stade de réflexion de l'être humain sur lui-même le recours à des techniques énergétiques. La médecine devient énergétique quand le médecin reconnaît ses limites, la psychologie dérive vers des techniques corporelles quand l'esprit devient impuissant à enrayer le malaise. L'acupuncture, les médecines alternatives reviennent en force et ouvrent des avenues en montrant qu'un corps tendu ou peuplé de malaises énergétiques initie des troubles psychiques : le poumon touché engage une tristesse, le foie malade, une irritabilité... Les résultats sont là et épaulent efficacement la réflexion sur soi-même et la guérison physique.

Psychologie, médecine conventionnelle ou alternative ont toutes leurs raisons d'être et leur place au soleil. Inutile de nous entre-déchirer les uns les autres, chacun partage avec le voisin une petite part de vérité, une grande tendance à défendre ses idées, et une rage à détruire l'autre.

Il nous reste à aborder les rives de l'éternité, quand notre corps et notre esprit, blessés ou en voie de guérison s'intéressent à leur origine et leur devenir, dépassant le règne humain pour saisir un Dieu, une force, un « rien » qui vivent autrement que nous. Médecine spirituelle qui donne parfois un sens à ce qui n'en a pas, une logique autre à nous qui désespérons de comprendre. Prêtres, grands-prêtres et maîtres spirituels héritent dans ce domaine du pouvoir et de la grandeur des praticiens en tout genre, mais aussi de leurs doutes, de leurs faiblesses et de leurs intolérances. Au-delà de la guérison physique, sans vouloir prendre la place de quiconque, pourquoi pas la prière ou la contemplation qui apaisent l'esprit en attendant que soit guéri le corps, qui apaisent l'âme quand il y a plus que la mort à attendre...?

Quand guérir
devient détruire

À chacun son échelle de valeur. À chacun ses convictions. À chacun ses qualités et défauts. La réflexion de chaque corps de métier repousse un peu plus loin les limites de tous, recherches et applications ouvrent de nouveaux horizons, mais malheureusement n'endiguent pas toujours ces états d'esprit qui peuvent passer d'un désir de guérir à un désir de détruire ce qui n'est pas soi. Et nous voyons médecins et spécialistes s'entre-déchirer dans les couloirs des hôpitaux, nous voyons parfois repousser loin l'idéal de soigner pour la vanité de publier, nous voyons l'intolérance des médecins entre eux quant à leurs divergences d'opinions et de traitements. La réconciliation s'opère toutefois entre médecins quand leurs corporations transfèrent un peu plus loin cette colère, notamment sur les médecines alternatives. Et l'intolérance ravage encore ceux qui pensent différemment ou ont cherché d'autres réponses dans des médecines anciennes renaissant de leurs cendres. Aurions-nous oublié qu'une médecine est toujours issue d'une autre médecine, qu'elle n'a peut-être pas besoin de renier pour exister à son tour. Il en a été de même pour la religion. Et si prêtres et médecins se disputent le lit d'un mourant pour le sauver chacun à sa manière, leur état d'esprit est souvent le même. La religion catholique par exemple, née de religions plus anciennes, a voulu jusqu'à effacer ses origines en se proclamant seule Voie et Vérité. Et cette autre « corporation » s'est acharnée dans des guerres toutes aussi « saintes » et avec des motifs tout aussi valables que ceux de la profession médicale sur ceux qui prient, pensent et agissent autrement.

À une époque de son existence, l'église interdisait à ses ouailles la lecture de la bible pour mieux leur enseigner ce qu'ils en devaient connaître et mieux garder le pouvoir sur leurs âmes. Cette absolue mainmise sur la pensée des hommes ressemble parfois à cette autorité scientifique dont se revêt notre médecine conventionnelle. Hors de son bureau tout ce qui n'est pas « prouvé scientifiquement », interdiction de penser au-delà de ses certitudes, méprisées les idées et les convictions timidement exposées par des malades qui réfléchissent autrement ! La médecine se sent-elle aussi menacée que la religion pour suivre des traces somme toute sanglantes... ?

Ne retrouve-t-on pas ici, derrière un désir d'aimer et de guérir, une haine farouche, qui nous ferait désavouer une guérison de l'âme ou du corps si nous n'en étions pas les auteurs ? Oserions-nous, praticiens de tous bords, admettre qu'en notre for intérieur, même impuissants, nous préférerions garder un malade « à nous » plutôt que l'abandonner en d'autres mains que nous jugerions profanes ?

Et comme, au fond, nous ne valons pas plus chers les uns que les autres, continuons notre réflexion sur les corps de métiers de guérison.

Que dire des médecines douces persécutées par la médecine officielle qui persécutent à leur tour des approches qu'elle estime être charlatanisme. Observons les guerres opposant un maître de reiki à d'autres maîtres de reiki d'écoles différentes, observons les guerres intestines entre écoles d'acupuncture. L'Inquisition, si elle a changé d'époque et de nom, n'a guère changé de forme : détruire à tout prix, moins par l'assassinat ou le feu mais tout aussi définitivement par des procès, des enquêtes, des jugements impitoyables qui peut-être feront rire les prochaines générations qui elles, admettront que... la terre tourne.

Combien de Galilée persécutés, avons-nous si peu de mémoire pour avoir oublié que des prophètes qui se refusaient à faire partie d'une «corporation» étaient déjà rejetés? Que des peintres d'hier étaient honnis s'ils refusaient l'école de leur maître? Et qu'un médecin d'aujourd'hui, qui voudrait élargir sa science par son cœur se verra radié?

Quel étrange processus humain toujours renouvelé. Un être découvre une part de vérité. Il l'offre le mieux possible. Elle finit par être acceptée. Des gens se regroupent autour de cette vérité. Ils forment une corporation. La corporation les défend contre d'autres idées nouvelles. Devrions-nous en conclure que protéger des idées à tout prix, ou des coutumes à travers les siècles, ou des théories nouvelles et prouvées scientifiquement, risquent de leur donner bien vite une odeur de renfermé...? Qu'une idée émise continue son chemin et qu'il nous faut la suivre sur la voie de l'inspiration afin de ne pas rester bloqué au milieu de la route...?

Pourquoi épargner la psychologie? Défendant ses droits grâce à une corporation, désavouée les premiers temps de sa vie, elle contribue allègrement, maintenant qu'elle est bien reconnue, à massacrer ceux qu'elle ne peut asservir. C'est au nom de principes scientifiques, que la psychologie jugera des approches oui ou non admissibles et emboîtera le pas à la médecine conventionnelle et à la religion quant à l'intransigeance exprimée à l'égard de thérapies corporelles ou d'approches originales. Ces approches mêmes qui mépriseront tôt ou tard à leur tour ce qui leur a donné naissance ou ce qui diverge d'eux. Quels sont les arguments qui donnent le droit de détruire l'autre? Le charlatanisme en est le principal, la crainte qu'on ne profite de la vulnérabilité du patient en est un autre. Mais, honnêtement, dans notre for intérieur, qui ne profite pas de son prochain et surtout nous, praticiens du corps et de l'âme pour lesquels la souffrance représente le gagne-pain ?

Revenons à cette rage de destruction qui anime les praticiens de tout bord entre eux et contre les autres. Tant il est vrai que cette rage est plus contagieuse que la peste, nous voyons les malades, patients ou clients, se retourner brutalement contre leur Dieu. D'une soumission à l'autorité qui n'est souvent que dépendance par peur sort une colère démesurée. Et de voir des procès se multiplier entre thérapeutes, prêtres, médecins et leurs patients, ouailles, clients. Bien sûr, justifiés sont-ils ces procès, par des situations objectivement analysables, mais ces situations ne prennent-elles pas feu sur un terrain, bien sec et fourni en brindilles inflammables ?

L'intransigeance d'un patient qui ne s'estime pas soigné ni guéri ressemble de fort près à l'autorité d'un médecin qui ne se veut pas contesté. Le théâtre de la vie distribue les rôles de victimes et de coupables mais la direction se réserve le droit d'échanger les rôles entre acteurs. C'est ainsi que les persécutés d'hier deviennent les persécuteurs de demain...

Dans ce tableau quelque peu ironique mais décrit avec plus d'indulgence que de colère, nous nous rendons compte que nous pouvons faire changer des événements, modifier le cours historique mais nous pouvons difficilement modifier l'état d'esprit. Ce qui est réconfortant, c'est de voir qu'à travers les millénaires, le désir de guérir est toujours présent chez l'homme. Ce qui est déconcertant, c'est de voir ce désir pur se heurter à la médiocrité du quotidien et de constater qu'un désir ardent, quand il est prisonnier d'un corps, d'une émotivité, d'un intellect, se fige désespérément en une statue de sel et que la légèreté d'un amour devient la lourdeur d'une domination ou parfois d'une haine.

Peu m'importe au fond de savoir par quel étrange physique ou chimie les sentiments humains existent, il me suffit de saisir qu'un sentiment humain peut garder l'apparence de la générosité ou de la bienveillance tandis qu'il n'est plus fondé sur l'amour. Changement imperceptible qui échappe à notre vigilance et auquel il faudrait se confronter chaque jour : amour encore ou pouvoir déjà ? Revenons à notre point de départ : si tout ceci existe, le meilleur et le pire, c'est pour pallier à la souffrance infinie du monde et de ses habitants, et ce qui déjà nous oppose les uns aux autres, c'est que la souffrance n'est pas perçue de la même façon.

La souffrance est-elle facteur d'évolution ? Sans aucun doute, la souffrance du corps et de l'âme ouvre des portes qui, au-delà de nos pensées ou de nos comportements habituels, nous fait pénétrer un monde où tout est remis en question. Ou nous ne décidons plus mais subissons, que nous pouvons sublimer mais qui peut aussi nous rendre fou.

Symbole parfait d'une souffrance révoltée puis acceptée, d'une mort devenue renaissance, le Christ incarne ce qui en l'homme dépasse l'homme, ce qui devient vie parce que la mort est acceptée.

Qui dit acceptation ne dit pas soumission. Si la souffrance peut-être riche d'enseignement et par conséquent constructive, elle peut n'être qu'une mortification vide de sens dans un refus rageur d'être soulagé ou dans une douleur provoquée volontairement. Dans les temps anciens, la religion a confondu sacrifice et acceptation, résignation et sainteté, faisant progressivement dévier le plaisir en péché et la beauté du corps en tentation du diable. Ainsi nos prêtres se sont-ils assujettis le corps et l'âme de leurs ouailles, en les accoutumant non au plaisir mais au devoir, non à la joie de vivre mais à la culpabilité d'être. Vision d'enfer ou de paradis perdu, renoncer d'être pour espérer n'être plus qu'entre les mains de Dieu, voilà le pain quotidien d'une évolution par la souffrance.

Souffrance imposée et acceptée, mais rarement de bon cœur, ouvrant la porte à un état d'esprit de haine qui, libéré de siècles d'étouffement, conduit l'être à la révolte contre ses bourreaux. Et la rage que nous exprimons de nos jours contre l'abus de pouvoir du clergé ressemble fort à cette même rage déguisée en Vérité qui s'acharnait sur nous hier. Avec quel plaisir avons-nous foulé au pied l'emprise de la religion sur les hommes au profit des sciences humaines, de la psychologie et même d'autres mouvements spirituels. Avons-nous seulement évolué... quand nous acceptons d'avance la souffrance qu'engendrera une thérapie comme gage de réussite d'un paradis sur terre ? Quand nous acceptons le poids d'une direction spirituelle d'un maître qui ne s'appuie plus seulement sur l'écriture mais aussi sur les auras, sur sa clairvoyance pour affirmer qu'un être est possédé du démon ou ne vit pas dans la lumière, ou bien encore, qu'il porte la responsabilité de meurtres dans d'autres vies antérieures, n'acceptons-nous pas cette fois-ci de bon cœur, le rôle que l'Église nous avait assigné de force pendant des siècles ?

Quand nous écoutons les affirmations de la psychosomatique ou des médecines douces « tu as créé ta maladie », « tu veux être malade », que nous mêlons notre pensée de tous les jours ou le stress de notre vie à cette maladie qui survient ou à ce cancer qui se développe, n'acceptons-nous pas sans mot dire une accusation fondée peut-être sur une vérité, mais peut-être pas, car nous n'avons pas tous les éléments du dossier en main.

La souffrance ne peut plus, dans ces cas extrêmes, être un facteur d'évolution. Elle devient une présomption sur laquelle nous sommes jugés. Et elle entraîne dans son sillage culpabilité, désespoir et rage, culpabilité parce que nous ne savons pas nous guérir nous-mêmes, désespoir parce que nous ignorions nous vouloir tant de mal, rage parce que nous voilà dépendants de la douleur.

À l'interrogation, la souffrance est-elle facteur d'évolution, d'autres répondront résolument : non elle est visiteuse indésirable. Difficile de le nier, combien de vies gâchées, de familles brisées, d'espoirs anéantis quand la souffrance s'abat sur l'un d'entre nous. La souffrance ferme les portes au bien-être que l'on attend de la vie, obscurcit jusqu'aux plus grandes joies qui nous sont données, rend vains les efforts de se dépasser et nous fait devenir étrangers à cette demeure qu'est notre corps.

La lutte s'engage contre la douleur jusqu'à ce que celle-ci disparaisse, soit parce que l'on en suprime la cause, soit parce que les médications l'annihilent. La bonne santé revient par l'absence de douleur et il est bien vrai que le goût de vivre rejaillit dès l'instant où la souffrance rentre dans l'ombre.

Nulle culpabilité d'être, ni poids de nos actes dans cette démarche. Et c'est tant mieux, car la culpabilité est un de ces sentiments avec lequel on ne peut rien faire, qui nous fait regarder sans voir et abandonner sans essayer. Nulle culpabilité mais par contre une conscience aiguë d'injustice ou de fatalité amenant des sentiments aussi divers que la rage, la peine ou le découragement. Notre médecine conventionnelle nous y encourage à son insu. Combien de nouvelles maladies, de syndromes décrits qui auparavant étaient qualifiés de « c'est dans la tête », de justifications génétiques ou héréditaires au sujet de symptômes pas toujours très clairs et communs à bien des affections. Je pense au syndrome de fatigue chronique, à la dépression, à la schizophrénie que l'on décide génétique sans en avoir de preuve absolue, même à la maladie d'Alzheimer dont l'ensemble des symptômes, basés plus sur la psychologie que sur la biologie, n'est pas exclusif à ce syndrome. Nulle culpabilité donc mais un sentiment d'impuissance, et le même désespoir dont nous parlions précédemment renaît de cette autre conception de la souffrance.

Facteur d'évolution ou visiteur inopportun ? L'un et l'autre sont vrais, l'un et l'autre comportent leur exagération. L'évolution par la souffrance ouvre la porte à des résignations inutiles et à une mortification dangereuse. La soumission ou la recherche de la douleur peut même cacher un état d'esprit de rébellion ou de haine farouche. Que restera-t-il à la fin de la vie, l'apparence d'avoir supporté courageusement la douleur, ou l'état d'esprit issu du fond des âges, de haine contre soi ? D'un autre côté, si soulager les êtres dans leurs souffrances physiques et morales fait partie d'une compassion juste, ignorer le message qu'elles transmettent ou se désolidariser de la douleur considérée comme étrangère amène d'autres risques. Celui d'attendre tout de la recherche médicale et des médicaments miracles et de renoncer à faire ce bout de chemin qu'il nous est toujours donné de faire quand surviennent la maladie ou la souffrance. Chemin parcouru dans la colère face à l'injustice du ciel, dans la peur de ne pas guérir et dans la patience face aux traitements des hommes. Chemin d'acceptation quand la médecine et les hommes n'ont plus leur mot à dire et qu'il ne reste que soi face à l'éternité.

Et la souffrance, pourquoi est-elle là ? Est-elle signe que nous avons péché, n'est-elle là que par accident, ou n'est-elle que mauvaise traduction d'un amour profond. Job s'exclamait : « Nous acceptons le bonheur comme un don de Dieu et le malheur, pourquoi ne l'accepterions-nous pas ? »

Attention au jugement si rapide que nous avons les uns pour les autres quand la maladie survient. Est-ce par punition que l'acier est fondu ou pour créer une forme ? Est-ce en fonction d'un passé que nous souffrons aujourd'hui ou est-ce pour préparer ce qui viendra ?

La souffrance, comment en venir à bout ? Que nous soyons ou non trouvé responsable de notre maladie, le fait est là. Face à la souffrance, nous voilà confronté à cette étrange relation de malade à praticien. Relation qui prend des formes bien différentes apparemment mais qui sont par contre fort semblables dans leur état d'esprit. La vulnérabilité est la clef de ces relations entre patients et soignants. Vulnérabilité évidente de la part du malade, vulnérabilité plus discrète ou même déguisée en certitude de la part du praticien. La peur de l'un de ne pas guérir, la peur de l'autre de n'être pas guéri, instaure un jeu ambigu de pouvoir et d'obéissance, de rites et d'habitudes, d'abdication de soi et de domination de l'autre.

Chacun, de préférence, ne voit ces rapports que dans les autres corps de métiers. La médecine affirmera que psychologues, guérisseurs ou prêtres profitent de la vulnérabilité d'autrui mais certains diront que médecins et spécialistes profitent de leur pouvoir. Ce n'est pas une profession ou une approche en particulier que l'on peut attaquer, ce sont des hommes et des femmes. Inutile de s'entre-déchirer, nous sommes tous au même niveau, le risque de profiter fait partie de nous, à nous de ne point y succomber et, pourquoi pas, de faire confiance au jugement de ceux qui choisissent leurs profiteurs. D'ailleurs, au fil des années, des siècles, nous retrouvons intactes autour de la souffrance et de la vérité les mêmes suivantes, la peur et la colère, l'obéissance habillée de rites, l'ignorance masquée de certitude.

À bâtons rompus, dans ces lignes qui suivent, quelques éléments de réflexion pour nous permettre de constater qu'il n'y a rien de nouveau sous le soleil...

« Convertis-toi ou meurs », disait l'Église de l'ancien temps. Quelle différence profonde avec le chantage d'un psychologue ou d'un médecin pour être le seul traitant ? La recommandation d'un maître spirituel ou d'un thérapeute pour ne point arrêter le travail engagé ? Au nom de la foi, de la psychologie ou de la science, vous vous damnez ou vous fuyez si vous ne vous soumettez pas. Et si, sans fuir, certains désiraient ne pas se soumettre ? Et si, sans fuir, certains voulaient choisir ?

Nous avons tant pesté intérieurement ou ri des tabous que nous imposait l'Église. Que dire de ceux plus subtils de la psychologie qui nous apprend à déceler dans chaque geste ou attitude une ambiguïté qui a pu traumatiser l'enfant que nous étions ? Qui osera encore parler ou toucher un enfant sans craindre un procès d'intention ou de fait quand celui-ci aura grandi et ne se sera pas épanoui selon les règles du bonheur attendu ?

Nous qui avons ridiculisé les mortifications imposées par l'Église, la souffrance comme justification du paradis espéré, que faisons-nous d'autre à nous faire souffrir année après année dans des thérapies toujours renouvelées, année après année dans des démarches spirituelles qui nous jugent possédés d'Arihman ou du diable ? Que faisons-nous d'autre quand nous savons, au plus profond de nous-même, et quand le médecin sait, qu'il n'y a plus d'espoir, d'accepter de souffrir et encore souffrir pour un peu plus de temps sur terre ?

Nous qui avons tant déblatéré sur les rituels de l'Église, que faisons-nous d'autre dans nos superstitions de porter telle ou telle pierre, d'éviter les mauvaises vibrations, de préférer telle ou telle couleur, de répéter telle ou telle formule magique, appelée pensée positive ? Rituels toujours, rituels partout, rituels de toutes sortes, dans l'imposition des mains, dans la position des aiguilles, dans les analyses médicales, dans les traitements para-médicaux, dans les pensées positives du matin, dans la prière du soir, dans la superstition d'un jour, dans les rêves d'une nuit. Rituel, posologie, traitement à suivre, des mots différents mais une seule et même idée : guérir, être mieux, quitte à tout abdiquer de soi dans une peur qui nous livre pieds et poings liés à ceux qui pensent avoir raison.

Mais que se cache-t-il derrière ces rituels, ces certitudes, ces emprises et ces exigences d'un praticien, d'un guérisseur ou d'un maître spirituel ? Quelle est la pureté d'une détermination de guérir quand elle justifie le massacre de ceux qui pensent autrement ? Quelle conviction spirituelle, quel traitement médical, n'ont pas été abandonnés aux cours des âges ou remaniés ou bien encore redécouverts ? Quelle certitude scientifique ou révélation irréfutable tiendront devant les hommes et les siècles si elles ne sont plus animées de l'amour qui leur a donné la vie ? Soyons toujours vigilants : c'est ainsi, par des changements imperceptibles, qu'un désir de guérir, animé à l'origine d'un amour profond et d'un don de soi sincère devient par excès d'humanité volonté de détruire ce qui n'est pas soi. L'antidote ? Un peu moins de certitude, un peu plus d'humilité, un peu plus d'indulgence et de compréhension, un peu moins d'intransigeance et d'intolérance. Et pourquoi ne pas reprendre le chemin que nous avons quitté sans nous en rendre compte ? Ne pas hésiter à retourner en arrière, à questionner l'être que nous sommes devenus et à lui faire rendre des comptes sur la disparition de ce qui était pureté, amour, du temps où nous voulions guérir sans détruire et aimer sans juger.

Faire parler les états d'esprit

Que puis-je faire pour apporter ma part dans ce dédale de sentiments et d'états d'esprit?

Nul apport psychologique; notre façon de travailler n'exigera pas une analyse de nos faits et gestes, ni la remémoration volontaire ou forcée d'événements ou de situations génératrices de conflits internes.

Consternation pour ceux qui voudraient parler.

Jubilation pour ceux qui ne veulent pas se raconter.

Nul apport physique : pas de diagnostic, ni de traitement, pas de guérison ni d'autoguérison.

Mon travail commence juste avant que la vie quotidienne n'ait figé chez l'être humain l'état d'esprit originel dont il est issu. Juste avant que le psychologue n'ait matière pour intervenir, juste avant que l'acupuncteur ou le thérapeute corporel n'interroge le corps, juste avant que le médecin n'ait fait son œuvre. Ou éventuellement quand tous ces corps de métiers ont laissé, durant ou après leurs interventions respectives, une petite place pour moi, qui intervient sans les contredire et qui les accepte sans vouloir les détruire.

Les maux physiques ou les épreuves morales ne seront plus, dans mon approche, que des balises pour saisir ces mémoires issues de toute éternité qui ont choisi, l'espace d'une vie humaine, un corps et un esprit pour se reposer de leur immortalité. Habitée, de ce que nous n'avons ni choisi ni reconnu, notre vie commence et nous entamons une lutte pour imposer ce que nous voudrions à ce qui est. Notre caractère à notre tempérament, notre émotivité à notre état d'esprit, notre individualité à notre collectivité. Comment ai-je décidé d'agir ? Juste par des jeux et des exercices. Des exercices mettant en évidence de façon symbolique notre façon d'agir, de réagir ou de contre réagir. Ils n'ont pas de valeur en eux-mêmes sinon par ce « terrain » qu'ils représentent sur lequel s'appuieront les fonctions mentales supérieures dites de réflexion et d'association, ces schémas comportementaux et ces réactions émotives qui nous enracinent dans la vie.

Pour ne rester en présence que de ce « terrain », nous travaillons toujours hors du contexte émotif, afin de ne pas mêler les cartes, car, comment savoir, si nous abordons la tristesse consécutive à un deuil si elle est émotivité du moment, bien compréhensible, ou si elle est état d'esprit vieux de dix siècles, ce qui est possible aussi ?

J'ai choisi les sens comme mode d'action. Tout notre exposé sur la mémoire prend alors valeur de justification de ce choix. L'information sensorielle, nous la retrouverons dans ces trois mémoires que j'ai décrites.

— La première est évidente : tout sens aboutit au cerveau, particulièrement dans le néocortex, qui en fait une analyse claire et précise, nous permettant de voir dans le détail ou d'écouter dans la précision. Cela représentera pour moi la mémoire intellectuelle, non par son caractère intellectuel comme tel mais parce qu'elle exige la même activité neuronale qu'une réflexion ou un raisonnement cartésien.

— La deuxième est plus subtile : les informations sensorielles, cheminant à travers les composantes cérébrales font un arrêt au niveau de l'hippocampe, dans le système limbique. Inutile d'espérer déceler là une vision aussi précise ou une audition aussi claire que précédemment, mais plutôt une écoute et une vision intuitive. Moins de détails sur le physique de notre vis-à-vis mais une impression générale de malaise ou de joie, qui donne un caractère plus émotif à notre perception. C'est ce que je qualifierai de mémoire émotive.

— La troisième mémoire est à peine perceptible. Elle est faite de sensations vagues et diffuses, d'impressions peu claires et ténues qui se résumeraient en une impression d'ordre tactile, pas tactile au sens d'un toucher ferme mais plutôt d'un effleurement. Elle correspond à la vibration dans son aspect primaire : une information sensorielle, avant d'être musique reconstituée par le cerveau n'est qu'une vibration sonore qui se propage en ondes jusqu'à l'oreille et/ou jusqu'au corps quand l'oreille n'est pas fonctionnelle ou assez sensible. Le corps prend le relais de l'oreille pourrait-on dire, mais pour être plus exact, il conviendrait de dire que, privés du sens de l'ouïe, nous sommes plus attentifs à cette caresse imperceptible qu'est la vibration sonore sur notre corps.

C'est sur ce terrain, l'état d'esprit, que s'appuieront à notre insu, par correspondance ou par contraire, nos mémoires émotive et intellectuelle, et ce chemin qu'emprunteront, tout comme le font les informations sensorielles, les mémoires collectives, ancestrales, présentes de toute éternité sur lesquelles se grefferont des faits, témoignages dans une époque donnée de ce qui n'appartient ni à une époque ni à un temps particulier.

Déjà entre mémoire émotive et intellectuelle, surgissent des contradictions, maîtrisées ou occultées par l'éducation, ou par le travail sur soi, ou par une conviction de ce que nous voudrions être. La mémoire état d'esprit est capable d'ajouter un autre étage de contradiction ou de confusion, qui cette fois-ci échappe à toute éducation classique, et finit par s'imposer dans notre vie, comme le climat du pays dans lequel nous vivons... à la moindre vieillesse du corps ou de l'esprit.

Démêler ces jeux de mémoire ? Pourquoi pas par des jeux... un labyrinthe de jeux, les mêmes pour les enfants et les adultes, les instruits et les ignorants, les fous et les sages, les doux et les coléreux, les sûrs d'eux-mêmes et les peureux.

Dans ce dédale d'exercices, nous retrouverons les situations que chacun d'entre nous rencontrons tôt ou tard, le découragement, le renoncement, l'espoir désespéré, la rage de réussir, la ruse, la joie, la peur, exprimés de façon symbolique sans qu'il y ait la moindre expression émotive, ni la plus petite culpabilité, sans qu'il n'y ait davantage une remémoration obligatoire de souvenirs ou un désir de justifier nos actes.

Présentation oblige, il nous faut structurer cet exposé. Et c'est ainsi que je vais décrire trois étapes d'exercices, qu'il ne faut pas projeter dans le temps, par un suivi rigoureux mais à qui il faut garder un caractère d'ensemble d'alternance ou de simultanéité.

Première étape d'exercice

Regardez!

L'image et les yeux dans le vague

Une belle image, un souvenir de vacances, un cheval… que sais-je? prend place au centre d'un soleil. Les rayons du soleil forment une couronne autour de cette image. Le décor est posé, vous êtes face à face. Dans un premier temps, un mouvement des yeux vous fera sans cesse aller du dessin à l'extrémité d'un rayon, puis revenir, puis repartir sur un autre rayon, puis revenir au dessin, pour repartir… et ainsi de suite, à votre rythme, pendant une minute. Face à l'image, vous la détaillez. Sur les rayons, vous évoquez une idée ou un souvenir en relation avec l'image.

Sans transition aucune, la deuxième minute est consacrée, hors image et hors souvenir, à rester les yeux dans le vague ou l'esprit dans la lune… à penser le moins possible ou du moins à ne pas accrocher au vol les idées qui viennent.

Deux minutes en tout pour saisir deux rythmes de notre cerveau, deux perceptions différentes sur lesquelles peuvent se greffer deux façons d'être et de voir la vie.

Les remarques faites ouvrent la voie aux discussions : « La première minute était plus courte. » Pour d'autres, plus longue.

« La deuxième n'en finissait plus, elle était agaçante. »

« La deuxième amenait de la détente, elle a passé comme l'éclair ». Que dire de tout cela :

— D'abord, l'un et l'autre rythme nous sont nécessaires. L'alternance de rythmes est le repos du cerveau.

— Ensuite, la facilité que nous avons à prendre ou à laisser ces rythmes est un terrain sur lequel nous bâtirons la facilité ou la difficulté de lâcher prise sur un événement, de dégager notre esprit d'un problème.

— L'image parfois continue à défiler dans notre esprit tandis que nous devrions être dans la lune. N'espérons pas alors, dans la vraie vie, pouvoir nous abstraire ou tout au moins ne pas nous laisser atteindre par un événement, un traumatisme, un remord ou une rancœur quand devrait venir le temps d'oublier ou de pardonner.

Parallèle symbolique mais qui nous donne un point d'accès. Si nous ne pouvons changer l'injustice que nous avons commise ou le mauvais coup dont nous avons été victime, nous pouvons travailler sur une belle image et ses rayons... Ne doutons pas que tôt ou tard, ce travail se transposera dans notre attitude quotidienne.

La fixation sur l'image peut être l'étape difficile tandis que rien ne nous arrête quand il s'agit d'être dans la lune... Nous pourrions traduire cette tendance dans la vraie vie en un rêve continuel que ne suit pas l'action, ou en une attitude d'accueil qui ne laisse pas de place à la critique, à une façon de se laisser envahir sans pouvoir imposer sa personnalité.

Pas de diagnostic miracle ni absolu, juste des idées, des tendances que le participant reconnaîtra en lui ou qui le feront réfléchir.

Écoutez !

Voilà un autre exercice. Tiré des éternels et amusants jeux radiophoniques, nous lui donnerons une dimension symbolique, toile de fond sur laquelle nous écouterons les instants de la vie. Un jeu de bruits reconnaissables ou ambigus, connus et inconnus. Il importe de glisser des bruits que nous n'avons eu que peu de chance d'avoir entendu, il est également important de mettre des sons qui pourraient être bien des choses. Tous ces bruits empruntent des voies sensorielles objectives dans leur façon de communiquer, jusqu'au cerveau qui traduit, interprète voire déforme la source du bruit pour en faire ce qu'il veut ou connaît, ou imagine, à notre insu évidemment, et avec la meilleure bonne foi du monde.

Du son originel provoqué par une chute de pierre (mais nous ne le savons pas encore), nous passons à une carriole attelée, un feu de forêt, une pluie d'orage, le tonnerre... rarement à des roches. Dans ma façon sans nuance de parler que connaissent bien mes participants, je dirais qu'à peine le son entendu, nous ne prenons plus la peine d'écouter et nous fabulons. Puis quand le ballon éclate ou que l'image disparaît parce que je ramène mes participants à la dure réalité des roches, c'est alors que tous se souviennent de la taille des roches, des circonstances de leur chute, autant de réalités déjà présentes mais occultées par l'imagination trop vive. Rien de grave à se tromper dans cet exercice. Aucun enjeu ni diplôme à la clef. Mais... si nous transposons cette toile de fond, cet état d'esprit sur lequel s'établiront nos faits et gestes dans la vraie vie, il prend alors une nouvelle valeur. Cette promptitude à élaborer dès les premières secondes d'écoute augure mal de la disponibilité que nous pouvons accorder à l'autre. Car n'espérons pas faire autrement dans la vie que de juger bien vite de ce qui nous est dit au travers de ce que nous sommes, et de construire les attitudes des autres sur ce que nous avons cru percevoir d'eux. Témoins, ces disputes qui font sourire... «tu as dit cela» «jamais de la vie c'est toi qui... »

De la même façon, nous pouvons, face à nous-mêmes, à peine une impression ressentie, nous couper de cette réalité et imaginer de bonne foi la suite, bâtir toute une conviction, toute une vie sur ce que nous avions cru. Témoins, et cela ne nous fait plus sourire, ces vies entières entachées de certitude, bâties sur des contresens ou sur un refus absolu de concevoir autre chose que ce que nous voulions.

Travailler une acuité auditive par un jeu aussi inoffensif que simple ouvre une dimension sur l'écoute de ce que nous sommes, même si nous ne voulons pas être cela, sur ce que les autres sont, même si cela ne nous plaît pas. Prendre davantage de temps pour s'efforcer d'identifier un son, admettre éventuellement que l'on ne reconnaît pas le bruit (attitude peu valorisée dans la civilisation du « je connais » et « il faut savoir ») c'est aussi rester branché sur l'environnement qui est nôtre. Car souvenez-vous de ce que nous avons abordé au début du livre... notre personne âgée qui s'enferme doucement dans son monde à elle, fait de ses souvenirs et de ses désirs, et qui oublie tous ces faits de l'instant présent. Plus de mémoire à court terme, mais encore toute cette longue mémoire de sa jeunesse. N'est-ce pas, dans ce petit jeu de bruits, ce processus à peine à ces débuts qui apparaît ? Se couper progressivement de ce qui nous entoure pour ne vivre que de nos convictions, nos certitudes. S'éloigner peu à peu de jeunes que l'on ne comprend plus qu'à travers nos expériences, de peuples et de races qu'on ne conçoit qu'à travers nos cultures. Cette séparation entre jeunes, vieux, Noirs, Blancs, Français, Anglais, cette incompréhension entre générations, peuples, races, ne ressemble-t-elle pas de fort près à ce processus qui nous fait perdre de vue le bruit originel de notre pensée, sans pour autant interrompre le tapage de cette pensée devenue libre ?

Sur le bout des doigts

Le toucher, une autre porte pour s'observer et déceler dans la vie comment nous avons, à profit, ou à perte, mis en œuvre cette qualité. Un sac est rempli d'objets que vous ne pouvez pas voir, assez nombreux pour être obligé de faire travailler votre mémoire, assez inattendus pour faire jouer doigts et imagination. Reconnaissance tactile, identification de l'objet mis en mémoire, puis, un peu plus tard, remémoration des objets. Certains reconnaîtront et se souviendront, ou ne reconnaîtront pas et ne se souviendront pas, ou reconnaîtront l'objet mais oublieront d'en tenir compte dans leur remémoration ou bien encore ne reconnaîtront pas l'objet mais l'accepteront tout entier comme une sensation ou une présence inconnue.

Un jeu bien usé, bien anodin mais autant d'attitudes mentales calquées sur ces faits : saisir sans le comprendre, un sens à notre vie, donnant lieu à des actes incompréhensibles aux yeux des autres et de soi-même, mais logique face à ce qu'il y a dans le sac... de mémoires collectives. Ou bien reconnaître, savoir, déduire, mais être incapable de passer à l'acte, de se laisser glisser dans l'action.

Sentez-vous ?

Après avoir été pris la main dans le sac, vous voilà surpris le nez dans les odeurs.

Un autre sac contient plusieurs substances, certaines très odorantes, d'autres plus discrètes. Bien sûr, une dominante s'établit et la première odeur sentie fait naître une reconnaissance particulière : le café, ou les fruits mais aussi une impression générale : « Cela sent le magasin de produits naturels » ou « la sauce à spaghetti... » Ne luttons pas contre cette impression et cette dominante mais efforçons-nous de n'y point rester. Les autres odeurs existent aussi et c'est un délice du nez en même temps qu'un exercice digne d'un papillon à l'odorat si fin de parvenir à détecter l'odeur discrète parmi ses sœurs éclatantes.

Le parallèle dans notre vraie vie : chaque être dégage une « odeur » parfois de sainteté, parfois de vilenie, parfois un intermédiaire entre le meilleur et le pire et souvent nous jugeons d'après cette dominante. Sens en éveil, n'arriverons-nous pas à saisir chez ce révolté une odeur d'acceptation ou chez ce brigand une odeur de générosité ? Et même, nous risquons de sentir chez qui se sent généreux une odeur de « donnant donnant » ou même chez qui se veut l'ange, la bête...

Regardez mieux !

Vision paradoxale, aberration des yeux et du cerveau, mais surtout une obstination qui nous fait persister à voir même si nous savons l'image impossible, ou alterner, passer de l'une à l'autre image, sans pouvoir se fixer sur la vraie.

Indien ou Esquimau   Femme jeune-vieille, de Boring

Ces deux traits qui sont de la même taille et qui nous semblent, celui du haut plus petit, celui du bas plus grand. Mesurez-les... Ce trident et ce triangle qui ne sont pas possibles, qu'on ne peut construire et qui gardent apparence de triangle et de trident dans notre cerveau... Ces lignes qui paraissent courbes et sont si droites...

Cette vieille femme qui devient jeune si la vie nous sourit ou cette jeune femme qui devient vieille quand l'espoir n'a plus de vie pour nous.

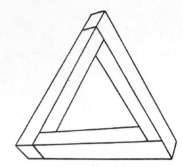

Le triangle impossible de Penrose

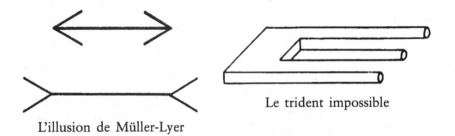

L'illusion de Müller-Lyer

Le trident impossible

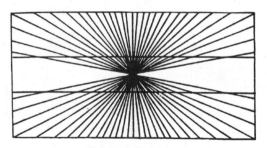

L'illusion de Hering

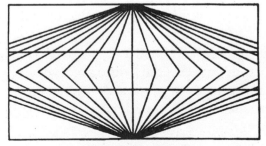

L'illusion de Wundt

Indien d'Amérique ou Inuit selon notre culture, notre pays, notre intérêt...

Le parallèle dans notre vie : s'obstiner sur ce qui n'est pas et auquel nous continuons à croire. Ne voir qu'un aspect des choses et se refuser à saisir l'autre face...

C'était un premier stade. Quand je dis premier stade, je ne veux pas dire par là, je le répète, qu'il faut faire tous ces exercices avant de passer à une autre étape. J'ai au contraire tendance à les intercaler avec ceux de la deuxième et de la troisième étape.

Ces exercices présentés font tous appel à des fonctions mentales qui s'appuient solidement sur des qualités d'association, de réflexion, de remémoration. L'être humain et son expérience sont tous deux présents dans ce type d'exercices. La reconnaissance d'un bruit, d'un objet, la vision d'une image, l'identification d'une odeur puisent à même nos souvenirs souvent colorés d'émotivité et c'est notre personnalité avec ses conflits, ses préférences et ses certitudes qui répond présente. Pris dans leur part symbolique, ces exercices travaillés et retravaillés permettent un meilleur échange, une meilleure conciliation des réactions émotives et des faits objectivement analysables, permettent aussi à tout et à tous qui nous sont étrangers de se glisser en nous par la voie des sens sans qu'il y ait « rejet systématique de la greffe ».

Deuxième étape d'exercice

Le deuxième type d'exercice ne joue plus sur les seuls échanges cerveau des émotions/néocortex. Il incorpore la notion d'état d'esprit, que l'on décèle par le manque de précision ou le décalage dans une tâche. L'état d'esprit N'EST PAS le manque de précision, il serait le vent qui fait dévier la main ou le pied. Il ne sera jamais rendu VISIBLE dans notre travail, nous n'essayerons d'en voir que les effets. Il ne sera pas davantage VAINCU, nous nous contenterons de n'y point donner prise.

À vos marques... prêt ou loin ?

Une balle, des semelles, un décor de salle de jeux pour enfants même pour les adultes.

Une balle par terre à quelques pas de vous (trois mètres, cinq mètres à peu près) vous qui la regardez, votre mémoire visuelle qui l'enregistre, votre cerveau qui mémorise l'état des lieux et l'orientation dans l'espace. Puis, les yeux fermés mais absolument comme s'ils étaient ouverts, vous marchez vers la balle et vous posez les pieds dessus. Si vous manquez votre but, ne tâtonnez pas à la recherche de la balle perdue, regardez simplement où vous êtes, observez seulement comment vous y êtes arrivé. Un peu plus loin dans la pièce, des traces de pas faites de papier de couleur symbolisent un chemin fléché que l'on doit suivre ; pas trop régulier, les pas, afin que votre cerveau travaille à mémoriser l'espacement des semelles, l'orientation du chemin. Et parfois, si l'on veut tout faire en même temps, une balle au bout des semelles sur laquelle on arrive après avoir emprunté la voie des pas. Le décor est posé, le piège prêt, à vous de jouer, à nous d'observer, à vous de comprendre.

L'un d'entre vous pourra montrer une détermination remarquable, voire une certaine brusquerie pour néanmoins tomber à côté du but, ou en deçà où au-delà.

L'autre marchera avec hésitation, présentant même parfois des pertes d'équilibre et finira par un mouvement vif pour mieux écraser la balle.

Bien sûr de façon symbolique, cet exercice évoquera la toile de fond, le terrain sur lequel se grefferont des réactions émotives et des attitudes comportementales. Pour saisir ce terrain, il nous aura fallu au préalable mettre en échec tout ce qui est contrôle visuel ou mental et briser l'apparence de ce que nous sommes pour laisser monter ce sur quoi nous avons bâti cette apparence.

Nos trois mémoires décrites apparaissent dans l'ordre suivant :

— La première est évidente : nous mettons toute notre application à nous rendre au but comme dans la vie, nous faisons notre possible pour réussir. C'est ce que je nomme mémoire intellectuelle ou volontaire ;

— La deuxième apparaît à l'instant où les yeux se ferment, privés de contrôle visuel, de cette assurance qui nous ferait insister jusqu'à l'accomplissement de notre action, il ne nous restera plus qu'une perception émotive ou intuitive de la situation. Notre notion de nous-mêmes, notre schéma corporel prendra plus de place que ne lui en laissait la vision et la volonté pour accomplir cette tâche. Nous passons donc à un niveau de mémoire émotive ;

— La troisième survient durant la réalisation de l'acte. Elle se glisse comme un courant d'air par l'entrebâillement d'une porte et ne se manifeste que très subtilement. Cette perte d'équilibre alors que personne ne nous pousse, ce décalage vers la droite ou la gauche, cette hésitation à continuer qui se solde par un arrêt prématuré, autant de mouvements inachevés ou déformés qui seront pour moi la manifestation de ces vents, ces états d'esprit familiaux, ancestraux, ces secrets de familles, qui, à notre insu et hors de notre contrôle nous poussent jusqu'à perdre l'équilibre dans une situation de la vie ou nous ramènent comme un boomerang à ce que nous avions fui. L'interprétation reste subjective, arbitraire, sujette à caution, tirée par les cheveux pourquoi pas ? J'accepte d'emblée toutes les critiques, ce n'est pas un diagnostic psychiatrique ou médical que je fais, c'est une constatation.

Lorsque le mouvement se fait hésitant les yeux fermés, ce n'est pas grave et se serait normal puisque les yeux sont fermés mais... ne serait-ce pas parfois aussi, si nous transposons ces faits dans la vraie vie ce qui préluderait à un manque de confiance pour devenir vite une attitude défaitiste ou un renoncement à la vie ?

Quand, essai après essai, l'erreur de tir n'est pas corrigée, que l'on s'amuse même à observer la répétition opiniâtre de ces erreurs, ce n'est pas très grave non plus mais ne serait-ce pas en rapport, si nous transposons ces faits dans la vie, avec ces échecs multiples et répétés qui résistent aux efforts tout aussi acharnés ?

Et lorsque après une démarche lente et hésitante, les pas se précipitent pour écraser la balle, n'assiste-t-on pas au prélude qui nous fera, si nous transposons ces faits dans la vraie vie, nous précipiter dans une situation ou écraser quiconque est sur notre route pour masquer ce qui n'était que peur.

Quand après un premier essai réussi avec trop de brusquerie, j'exige un peu plus de douceur, nous voyons apparaître une démarche non seulement plus lente mais aussi plus hésitante, cette force apparente ne cache-t-elle pas, si nous transposons les faits dans la vraie vie, une tension démesurée pour endiguer cette faiblesse profonde ? Il est sans doute bon de se maîtriser, attention seulement que les muscles ne se tétanisent pas à force d'être contractés ce qui pourrait devenir, si nous transposons les faits dans la vraie vie, une attitude de réussite en tension jusqu'au moment où, sous la pression d'événements extérieurs, la dernière goutte fasse déborder le vase et que cet homme que nous avions cru invulnérable et sûr de lui devienne, après un divorce, ou une faillite, ou un accident, cet être émotif tremblant devant tout et tous.

Peu importe d'ailleurs les explications que l'on donne. Elles sont subjectives, plus symboliques que réelles, plus indicatrices que formelles. Le vrai travail commencera, avec ou sans explication, lorsque l'on s'efforcera de parfaire le mouvement. Non pas à la façon d'un athlète mais seulement comme quelqu'un qui essaie de concilier ce qu'il veut, ce qu'il ne fait pas et ce qu'il faut pour le faire.

Ainsi progressivement apprenons-nous à ne plus donner prise à ce mouvement invisible mais fort qui nous pousse toujours sur l'autre rive, celle que nous ne voudrions pas.

La déclivité d'un terrain et le lit creusé de la rivière font inlassablement couler l'eau dans le même sens quand nous voudrions tant irriguer les champs d'à-côté. S'efforcer de ne plus donner prise à ce mouvement originel, c'est creuser des canaux d'irrigation qui seront une alternative au cours d'eau principal, c'est bâtir des réactions émotives et attitudes mentales un peu plus éloignées de l'état d'esprit originel et un peu plus proches de ce que nous voudrions être.

La transposition dans la vraie vie se fait progressivement, par des voies inattendues dans les événements qui jalonnent notre vie. Nous ne travaillons jamais pour obtenir une réussite de style cause à effet, nous semons sans savoir quelle graine germera et dans quelle motte de terre elle apparaîtra. Nos plus grandes réussites sont la constatation suivante : « Tiens, dans cette situation, je n'ai pas réagi comme d'habitude. » S'en apercevoir après, c'est l'avoir assimilé avant, c'est une réussite non par une volonté consciente mais par un désir provenant du fond de l'être.

Pourquoi la balle, les semelles ? La balle représente le but, comment, instinctivement, nous nous efforçons d'atteindre nos objectifs.

Les semelles représentent les moyens, parfois contournés que nous sommes obligés de respecter pour y parvenir.

Vis-à-vis d'un but, nous pouvons être sûrs de nous ou indécis. Vis-à-vis des moyens, nous pouvons avoir à franchir des barrières telles que hiérarchies d'entreprises ou coutumes ancestrales ou bien n'avoir qu'une vaste plaine devant nous.

Nous pouvons oublier notre but devant des barrières insurmontables ou n'observer que les cailloux de la route sans savoir où elle mène.

Et chacun d'entre nous, faisant une combinaison particulière de ces différents éléments, s'efforcera de dénouer les nœuds qui en ont résulté en travaillant l'un et l'autre exercice.

Habituée de longue date aux réflexions qui veulent justifier notre manque de précision, j'y répondrai à l'avance.

Oui, c'est normal, les yeux fermés, de risquer de perdre l'équilibre. Alors asseyez-vous pour faire l'exercice suivant...

Les pois chiche, les haricots

Des haricots, dispersés sur une table, représentent cette fois-ci notre but. Et c'est le bras et la main qui répondront à cette tâche d'atteindre le but alors que nous avons bien sûr les yeux fermés. Main droite, main gauche, peu importe la latéralité, haricots éloignés ou proches, dispersés selon toute les latitudes et les longitudes, symbolisent les opportunités de toute une vie et les moyens d'y répondre.

Les tendances sont les mêmes vis-à-vis des haricots et des balles. Bien sûr le risque de perdre l'équilibre n'existe pas, mais une hésitation de la main et un léger tremblement du doigt en tiennent lieu. Bien sûr, les démarches agressives ou hésitantes ne sont pas là, mais le geste brusque ou le mouvement lent, la tendance à rester dans les airs ou à atterrir brutalement, la déviation à droite ou à gauche sont sujettes à la même interprétation subtile et arbitraire de ce terrain qui se transposera peu à peu dans la vie.

Avec la balle, nous saisissions de façon symbolique la façon dont nous marchons dans la vie. Avec les fèves nous traduisons notre façon de finaliser nos idées, nos buts. L'un et l'autre ne correspondent pas toujours. Témoins ces personnes qui paniquent avec la balle, ne sachant s'orienter dans la vie mais sont remarquables de précision avec les fèves, une fois installées dans leurs meubles. Témoins ces autres personnes qui visualisent parfaitement leur objectif et l'atteignent (la balle) mais sont incapables d'en faire leur profit dans la réalisation finale (les haricots), etc.

Ce ne sont qu'exemples de la façon dont je travaille. Pas de tableau récapitulatif des situations, pas de critères ni de questionnaires à remplir, pas de catégorie de symptômes ni de type de personnalité, juste une constatation à un instant donné dans une situation donnée, qui révélera une facette de notre personnalité mais qui ne figera pas ladite personnalité en une fatalité incontournable.

Traduire, c'est trahir : le casse-tête

Précédemment, nous avons décrit trois exercices que je juge être la base. À partir de ces fondations, il est possible de créer une multitude de variantes qui seront autant de façons d'approcher une situation donnée par sa symbolique. Par exemple, l'exercice qui consiste à se mettre à quelques mètres d'un évier, observer les robinets et le verre placé sur le comptoir, puis fermer les yeux, marcher et remplir le verre d'eau à moitié, ou au tiers ou complètement, résume l'habileté exigée par la balle, les semelles, les fèves.

Cette fois-ci c'est dans une tâche coordonnée qu'apparaîtront nos faiblesses, pour certains dans la marche, pour d'autres dans le remplissage, pour d'autres encore dans la coordination de tout cela. Selon la vie vécue par les participants, la transposition dans la vraie vie peut se faire aisément par un peu de réflexion et beaucoup d'honnêteté.

Mais ici, c'est un autre jeu que nous allons décrire et commenter. Un casse-tête, de forme irrégulière et plutôt compliqué est placé à notre droite ou à notre gauche quand nous avons déjà les yeux fermés, afin de ne pas pouvoir s'en faire une image mentale. Une main suivra le contour du bloc, tandis que l'autre, comme si elle lui était attachée, dessinera la forme sur le papier. C'est une communication entre le toucher et la motricité, le ressenti et l'écriture, l'impression et son expression que nous symbolisons dans ce petit jeu. Main droite et main gauche alternent dans leur rôle car rien n'empêche un droitier ou un gaucher de dessiner avec l'autre main.

Les œuvres réalisées sont alors commentées, lorsque, persuadé d'avoir saisi la forme précise et la grandeur nature nous voilà face à un dessin microscopique ou affreusement déformé.

Rien de grave non plus... mais, si nous transposons ces faits dans la vraie vie, combien d'entre nous qui ne parviennent pas à traduire ce qu'ils ressentent profondément (le toucher symbolise ce rôle de l'émotivité) ou qui le déforment tant et si bien qu'on ne peut retrouver l'origine de ce qui était?

Face à des dessins qui ne se ferment pas, combien de participants qui se laissent envahir sans établir de limite ou qui sont sujets à des pertes de confiance ou d'énergie?

Combien de participants, qui piqués au vif, reprennent la même pièce pour la mieux dessiner et refont encore et encore la même déformation? Doit-on espérer changer facilement une attitude figée dans le béton de la vie par de multiples situations quand nous n'arrivons pas même à modifier un dessin pour le rendre plus fidèle à la réalité?

À partir de cet exercice, j'ai mis au point un ensemble de jeux symbolisant par tous les moyens possibles (écran magique, horloge...) la traduction d'une activité cérébrale abstraite en une réalisation concrète. Pour tous ceux qui peinent dans l'activité symbolique des mathématiques ou sur l'expression d'une émotion venue de très loin... pour tous ceux pour qui le langage est lettre morte quand il doit traduire leur émotivité profonde.

Troisième étape d'exercice

Le troisième type d'exercice nous amène encore plus dans un monde dépourvu d'expérience mais riche de sensations inexprimables. Aveugles, sourds, insensibles, ayant perdu l'odorat, plus rien ne parvient à nos organes des sens. Seule, la vibrance originelle de l'objet, ce champ électromagnétique qui le fait matière est perceptible. Perceptible par une sorte de sensibilité générale, non groupée en un organe sensoriel qui emprunterait davantage des voies tactiles ou somesthésiques. Quand les sens fonctionnent, cette sensibilité générale, sans doute la première arrivée et la dernière écoutée (moins précise dans sa qualification, plus intuitive dans son interprétation), se double d'une sensibilité spécifique quand elle atteint un organe des sens et des aires cérébrales les plus aptes à identifier l'origine de cette sensibilité : vibration sonore, radiation lumineuse, etc.

Un peu comme le vent du large qui balaie indifféremment maisons et falaises caressant brins d'herbes et vieux murs et qui subitement devient perceptible quand il se concentre en une éolienne qui fournira l'électricité. Le vent est le même partout mais il n'existe pour nous et nous nous en apercevons que lorsque la lumière s'éteint...

Dans ces exercices, la lumière, je l'éteins volontairement afin que les vents issus de ces mémoires du monde, plus vivantes que réelles, prennent le pas, le temps d'un souffle, sur les réalisations humaines plus réelles qu'immortelles.

Écoutez mieux!

La musique est l'instrument privilégié d'une prise de conscience de ce « rien » vivant qui est l'état d'esprit. Un exercice préliminaire nous le montre bien : je choisis un morceau de musique, doux et calme que je vais enregistrer deux fois. Il s'agit donc de la même interprétation, enregistrée selon les mêmes paramètres sonores. Je demande alors à mon participant d'écouter cette musique et de la ressentir. Distinction importante car l'écoute nous permettra éventuellement de reconnaître le morceau, de le juger agréable, d'en apprécier l'interprétation, bref, autant de paramètres d'ordre intellectuel et émotif. Tandis que le ressenti physique nous le fera qualifier par une vague de bien-être, ou un serrement à la gorge, impressions subtiles d'où sont nées ces expressions « nous prendre aux tripes » ou « nous faire passer un frisson dans le dos ».

En dépit du bon sens, puisqu'il s'agit du même morceau, voilà mes participants m'exprimant leur préférence, parfois subtile, souvent tranchée quant à l'un et l'autre extrait. Certains vont même jusqu'à affirmer qu'il y a un violon de plus dans le deuxième ou que le tempo n'est pas le même...

— Ils ont absolument tort si l'on considère l'apparence ; les morceaux sont rigoureusement semblables.

— Ils ont raison par contre si l'on considère la petite tricherie que j'ai commise.

Possédant une table de mixage, j'ai tout loisir, pendant l'enregistrement, de glisser sous l'un ou l'autre morceau, un message subliminal qui, comme son nom l'indique, est inaudible pour nos oreilles humaines. Inaudible mais bel et bien enregistré sur la bande sonore. Inaudible mais parfaitement perceptible pour un corps dont la sensibilité aux vibrations n'est pas limitée aux seules sensations tactiles.

Ni perçu, ni exprimé, voilà comment je qualifierai ce morceau subliminal à qui j'ai donné le rôle d'état d'esprit, de terrain, de toile de fond, qui s'immisce en nous sans crier gare, et qui nous ferait même parfois prendre des vessies pour des lanternes.

Autant de combinaisons possibles et de réponses des participants que nous nous amuserons une fois de plus à transposer dans la vraie vie.

Une musique douce derrière laquelle se cache une musique tendue peut rendre mal à l'aise quiconque s'attache plus, par une sensibilité profonde, à ce qui est violent et subliminal qu'à ce qui est doux et apparent. Et nous verrons apparaître dans la vraie vie enfants, animaux ou personnes simples s'éloigner instinctivement de qui montre pourtant tous les prémices d'une générosité, d'un don de soi pour s'approcher d'êtres bourrus et désagréables qui ne les aiment pas forcément mais qui ne les aiment pas « émotivement » sur un état d'esprit de profond amour. Que dire de nos réflexions « cela sonne faux » ou « quelque chose ne va pas » face à une personne dont nous ne pouvons suspecter la bonne foi ni la compétence et dans une situation où tout semble pourtant baigner dans l'huile ?

L'inverse est vrai et nous pourrions parfaitement, en accord avec notre propre état d'esprit de violence, préférer sous la musique douce ce qui est en accord avec notre rage. Et cette attitude, transposée dans la vraie vie, pourrait facilement devenir tendance à rejoindre ce qui est noir, violent ou agressif, à nous mettre dans des situations d'être escroqué ou malmené, tout en étant convaincus de ne chercher que le mieux pour nous ou pour ceux que nous aimons. Naturellement quand je parle de violence, de rage, de désir de domination je ne parle pas d'une émotivité que nous pourrions contenir à force d'éducation et de croissance personnelle, je parle d'un climat de mémoires ancestrales, de ces secrets de familles qui ne choisissent ni les mots ni les gènes pour se transmettre dans le plus profond silence.

L'écoute est fondamentale dans cet exercice car il n'y a pas de réponse vraie ou fausse. Il y a autant de combinaisons possibles que d'êtres sur terre et nous avons besoin d'une compréhension parfois intuitive pour raisonner – ou résonner ? – juste. Enfin, raisonner juste n'est pas même indispensable et n'empêcherait en aucun cas de continuer le travail par l'exercice suivant.

La musique inaudible

Cette fois, c'est le silence le plus complet qui préside à l'exercice. Pourtant j'ai mis une cassette, ou un disque laser en marche. Seulement le son n'est pas audible pour nos oreilles humaines, et mon participant ignore tout de la musique qu'il perçoit. Il ne restera donc, pour prendre connaissance de la musique que cette extrême sensibilité à peine tactile, surtout énergétique, qui se traduira par un frisson, une sensation d'étouffement, une vague paisible, un tourbillon, un étourdissement, que sais-je encore ? Ces impressions surtout corporelles gagneront par des voies internes ou énergétiques le cerveau qui s'efforcera, intellect et émotivité obligent, de les traduire en langage humain ; une peur, une joie, une circonstance particulière, une image persistante, un souvenir inopportun. Empêchant la vibration sonore d'emprunter le chemin classique vers l'oreille, nous révélons cette voie parallèle qu'elle emprunte toujours à notre insu et nous partons sur l'hypothèse que nos mémoires états d'esprit envahissent par les mêmes voies un être qui se croit seul maître à bord. Ainsi il ne me restera plus, pour qu'un être saisisse mieux sa toile de fond, responsable de comportements sans cesse répétés et d'échecs toujours réactualisés, de lui présenter toute une gamme d'état d'esprit par toute une gamme de musiques inaudibles, d'observer ses réactions, d'initier un processus de confrontation, de parfaire son discernement de ce qu'il reçoit, et de retrouver une liberté non par la fuite ou la force mais par une acceptation paisible.

Quelle musique ? J'ai vainement essayé les titres de la musicothérapie, ils sont choisis davantage sur des critères émotifs et intellectuels que sur des critères que j'appellerais « collectifs ». J'ai exploré par ma sensibilité avec l'aide d'un mélomane averti (merci Gil !) des musiques qui ne sont pas que l'œuvre de musiciens mais qui sont le fruit d'état d'esprit se mêlant à l'interprétation humaine. La vie du musicien, spirituelle et physique, ses faiblesses et ses forces, ses émotions, ses doutes, ses maladies, ses interrogations et ses réponses sur la mort, sont les critères de sélection.

Avec à la clef une incertitude qui devient certitude : ce n'est pas parce qu'une musique est belle ou légère que le musicien réflète l'amour ou la joie, il y a de fort belles musiques sur un climat de haine et de médiocres airs sur une spiritualité profonde.

Le jugememt de valeur importe peu d'ailleurs. Ce qui importe c'est que la musique soit suffisamment inspirée pour toucher le plus profond de l'être, que la réaction qui s'ensuive soit observable par le participant, et que cette réaction, retrait, fuite ou plaisir s'approfondisse par un travail et qu'enfin, une préparation réunisse dans le même concept d'acceptation la musique perturbée d'un musicien craignant la mort et la musique appaisée d'un artiste vivant en paix. Ce n'est plus alors refuser le mal pour rechercher le bien, ou fuir la douleur pour accepter le plaisir, c'est simplement accepter deux facettes de la vie en toute sérénité. Et cette sérénité n'est pas, soit dit en passant, une résignation passive ni une indifférence calculée, elle est une joie intense qui éclaire de l'intérieur l'être qui n'est plus atteint si fort par les drames de la vie.

La vision aveugle

Nous changeons la stimulation. Il ne s'agit plus là d'une vibration sonore mais seulement des champs d'ordre électromagnétique qui sont présents autour d'un objet. La vision ne sera plus la référence qui nous permette d'identifier un objet, seul un ressenti vague et diffus témoignera, à quelque distance, de la présence d'un objet. Point de détail sur la forme ou la matière ou la couleur, la première sensation sera, comme précédemment avec la musique inaudible, de l'ordre d'un effleurement léger ou d'une émotion subtile.

Le dispositif est simple. Notre participant a déjà les yeux fermés quand nous plaçons subrepticement sur la table un objet pris dans le règne minéral, ou végétal, ou animal.

Très subjectif au début, cet exercice répété fait naître une familiarité entre ce qu'on ne voit pas mais qui est là, entre ce qu'on ne peut pas identifier mais qui est présent.

Inutile de chercher bien loin le parallèle dans notre vie : qu'est pour nous l'avenir sinon un objet sans forme et sans présence qui nous attire cependant et vers lequel nous dirigeons tous nos espoirs ? L'avenir ne se prépare pas qu'avec le passé, il se devine par des actes fortuits et par un ressenti dont on peut douter parfois.

Impossible cet exercice ? Demandez aux aveugles de naissance…

L'odeur inodore

Des substances odorantes, de nature diverse, sont bien enfermées à l'intérieur de petits flacons de verre. Elles n'atteindront pas le nez ni le cerveau par le chemin olfactif classique. Par contre, « l'état d'esprit » de la substance, ce rien qui l'anime avant que l'odeur ne soit, empruntera ces voies énergétiques permettant une fois encore au cerveau d'interpréter ce qu'il reçoit en termes émotifs.

Il est curieux de voir se marquer des différences importantes entre les flacons selon les participants. Certains se sentiront mal face au sucre, d'autres présenteront des quintes de toux face à un tabac qu'ils ne voient ni ne sentent, d'autres s'épanouiront avec un toucher de poudre d'iris... Naturellement c'est lorsque les participants ont déjà les yeux fermés qu'il faut leur remettre les flacons de façon à ce qu'ils restent totalement ignorants de ce qui est dedans.

Les expressions populaires prennent là toute leur valeur : être en odeur de sainteté, un contrat qui sent mauvais, quelqu'un qui a l'air bon.

Je me suis seulement contentée, dans cet exercice, de décortiquer ce qui revient à la substance elle-même et ce qui revient à l'état d'esprit de la substance.

Un travail complémentaire consiste, après que le participant ait donné son avis sur trois flacons dont il ignore le contenu, à lui redonner ces flacons ouverts, pas dans le même ordre bien sûr, et de lui demander un discernement, lequel était quoi ?, faisant naître d'intéressantes contradictions qui nous font, si nous transposons ces faits dans la vraie vie, être fortement opposé au plus profond de nous-mêmes à quelque chose que nous acceptons pourtant en surface, ou à nous priver de ce qui au fond nous convient sous des dehors apparemment insatisfaisants.

Quand nous abordons cette troisième étape d'exercices, nous pouvons remarquer que quelque soit l'origine de la stimulation, visuelle, auditive, olfactive, tactile, et même motrice, notre traduction est toujours la même : une sensation physique, doublée d'une émotion subtile, rien qui ne nous fasse peur ou mal mais quelque chose qui nous émeut et qui, nous le savons sans le comprendre, pourrait faire mal ou faire peur. Sans doute nous dirigeons-nous progressivement vers la sensation d'un être qui est dans le coma et privé de ses sens, d'un être en dernier stade d'Alzheimer ou tout simplement qui quitte la vie doucement.

Ces exercices si farfelus de la troisième étape m'ont été, je dois l'admettre, largement inspirés par mes participants atteints de troubles sensoriels. C'est à tous ces aveugles qui venaient travailler leur mémoire, à ces sourds et même à ceux qui avaient perdu l'odorat que je dois des droits d'auteurs. Privés de la voie sensorielle classique, ils conservent ou restaurent cette voie énergétique si subtile. Il ne me restait donc plus qu'à rendre mes participants aveugles, sourds ou incapables de raisonner le temps d'un exercice afin de découvrir cette alternative qui nous fait ressentir, nous émouvoir et comprendre de façon plus intuitive que raisonnée.

Non pour faire le procès de la raison mais plutôt pour réhabiliter ce qui lui a donné vie. Comme nous pouvons manger chaque jour du pain et cela nous suffira pour vivre, nous pouvons aussi sentir la caresse du soleil, la force de la terre, le balancement des épis de blés et pourquoi pas l'amour au-delà du pain que nous partageons.

De la première à la troisième étape, nous glissons insensiblement du monde fait de couleurs et de formes, d'odeurs et de sons, d'un monde qui nous appelle inexorablement à lui que nous observons par rapport à nous, vers un univers intérieur qui nous appelle tout aussi inexorablement à lui et qui, passant par nos yeux fermés et notre extrême sensibilité ouvre cette fois-ci sur une toile de fond, sans forme, sans couleur, sans son, mais qui a déjà le goût de l'éternité.

Ces descriptions d'exercices sont loin d'être limitatives. Elles sont seulement indicatrices de chemin à parcourir. Quant à moi, je ne me lasse pas d'inventer et de complexifier des exercices selon les besoins, les sens et les participants. Aucun exercice n'est à même, seul, de saisir la complexité qu'est un être humain dans ses dimensions intellectuelles, émotives et d'état d'esprit. Par contre chacun d'entre eux donne une piste sur un aspect qui se veut complémentaire d'un autre aspect, ou opposé, ou compensatoire d'un troisième ou quatrième aspect. Mon but n'est pas de figer la personnalité d'un être en la nommant ou en émettant un diagnostic mais plutôt de saisir sur le vif une facette de ce qu'il peut être à un moment donné dans une situation donnée. Ainsi je ne travaille jamais selon une marche à suivre mais plutôt selon l'inspiration du moment et les quelques mots échangés en début d'entretien. Mon but n'est autre que de mettre à jour des contradictions ou des manques à travers des jeux et de voir s'ils se projettent dans la vraie vie. Ou l'inverse : savoir ce qui ne va pas dans la vie et déceler dans l'état d'esprit ce qui a précédé cette faillite.

Les pièges que nous avons décrits dans le chapitre précédent n'épargnent pas davantage cette approche que je propose. Multiples, ils sont les suivants :

— Les exercices pourraient devenir rituel, voire superstition. Certains participants puiseront trop de courage ou de certitude de « faire ce qu'il faut pour obtenir ce qu'ils veulent ». Et ceci n'est pas absolu car notre pensée humaine et sincère nous menant à des actes tout aussi sincères ne correspond peut-être pas au climat et aux possibilités qui nous environnent. Ainsi, s'il est bon de prendre les exercices comme des points d'envol, il est tout aussi bon de les relativiser, ou de les changer, ou de les interrompre parfois.

— L'excès inverse est vrai de la part de personnes qui ne veulent pas « jouer » et « trichent » par la parole pour tenter de conduire l'entrevue d'une façon psychologique.

— La mauvaise compréhension de l'hypothèse de base sur laquelle nous travaillons, état d'esprit et émotivité, peut amener deux réactions aussi inconfortables l'une que l'autre : la culpabilité lorsque, quelles que soient les explications, les personnes se sentent visées personnellement par le terme de « haine » ou de « violence ». La non-culpabilité, lorsque, sachant qu'on ne peut modifier un état d'esprit, le participant ne se sent pas coupable, mais glisse dans une forme de fatalité. Ces deux attitudes risquent de mener à la même façon d'être et d'agir : abandonner sans essayer.

Variations sur la toile de fond

Une dernière chance pour comprendre ce que j'ai voulu dire tout au long de ce livre, ce que j'ai nommé tour à tour terrain, climat, état d'esprit, et qui, dans ce chapitre, deviendra surtout toile de fond.

Qu'elle est-elle cette toile de fond ?

Fresque mouvante de ce que nous pourrions percevoir comme des vibrations ou des champs de diverses natures, du champ cosmique le plus large au plus étroit champ électrique, elle est mouvement hors du temps, hors de l'espace, hors enfin de notre réalité humaine, hors de toute pensée.

Incompréhensible, inutile de la comprendre, contentons-nous de ces moments où elle nous pénètre pour le meilleur ou pour le pire et où elle nous donne une fugace impression d'être plus que mortel, un léger goût d'éternité, si discret quand on le compare au piment de la réalité d'être.

Non humaine, cette toile de fond a précédé l'univers et continuera son chemin à travers des mondes à jamais disparus. Non humaine, nous ne pouvons pas lui prêter cette intention de nous aimer dans un sens humain, pas plus que de nous haïr, dans un sens émotif. Évoluant, elle n'évolue ni dans notre temps, ni dans notre espace mais plutôt, s'il nous fallait une comparaison banale, dans l'alternance de saisons, de climats, d'ère glacière et d'ère désertique, de pluie et de soleil...

Impénétrable et immuable, nous n'essayerons pas d'en diriger le cours ou d'en modifier le sens, juste d'accepter son immensité et de lui glisser en douce nos désirs du temps d'une vie...

Mais chut... cette vaste toile de fond impénétrable et silencieuse s'anime, s'accélère et fait entendre le bruit de ce qui va devenir la vie. Ces mouvements qui étaient seulement, sans avoir été quelque chose ou quelqu'un vont devenir visibles, mêlés inextricablement à cette matière qu'ils ont forgée et qu'ils continuent d'animer de leur immatérialité.

La toile de fond n'était ni idyllique, ni vengeresse. Elle le devient maintenant aux yeux des hommes, maintenant qu'elle a créé et s'est unie aux éléments de la nature, aux migrations de peuples, aux différentes races, à l'emprise des familles, aux humeurs des hommes. Apportant à certain la paix, elle ne sera que guerre et tourment pour d'autres.

Je vais parler là d'état d'esprit. Peur, haine, joie, amour, tristesse, désespoir..., ces mots font leur apparition mais pas encore dans leur sens désespérément humain d'émotion liée aux événements de la vie. Ils ne sont encore qu'une force impalpable et immuable que nous pourrions retrouver dans le vent du nord, ou au cœur d'un paysage tourmenté, chez ces loups hurlants ou dans les branches tordues d'un vieil arbre, également et sans aucun jugement de valeur, chez ces peuples animés de violence guerrière et ces hommes habités de folie. Nulle raison de parler de culpabilité ni de responsabilité, nous sommes au cœur d'une toile de fond, animés de forces que nous n'avons pas choisies et mus par ces mouvements qui nous laissent encore impuissants.

Mais cet état d'esprit prend forme de plus en plus comme l'eau sculpte plus avant la falaise et je vais alors parler de mémoires, donnant une dimension humaine à ces états d'esprit d'avant l'humanité. Pénètrent en nous l'individualité, le détachement vis-à-vis de cette toile de fond mais commencent aussi la fin de notre immortalité et le début de notre responsabilité. Hommes, nous ne sommes plus immortels, mortels nous avons le pouvoir de dire oui à l'éternité. Entre-temps, à la mesure de notre vie humaine, de nos émotions et de nos pensées, nous sommes déchirés entre ces mémoires collectives qui nous appellent inexorablement à continuer ce qui est devenu vie terrestre, et cette toile de fond d'éternité par laquelle nous pourrions être libérés de notre état d'être humain.

Ce qui nous appelle inexorablement, ce n'est d'après moi pas tant ces mémoires se propageant de génération en génération mais plutôt cet état d'esprit toujours vivant et immortel, se réactualisant sans cesse avec les « matériaux » humains qu'il a à sa disposition, qu'ils soient familles, peuples, races ou simplement métaboliques.

La psychologie, la psychogénéalogie, l'ethnopsychiatrie ont alors toutes leur mot à dire quand ce qui habite les familles semble n'être plus qu'un état d'esprit destructeur. Observant le milieu culturel et traditionnel qui sert de cadre à l'élaboration de la personnalité, ils mettent à découvert « ces secrets de familles », cette « loyauté » inconsciente qui ne nous laisse pas le droit de vivre ou de laisser vivre au-delà de nos traditions familiales. Masquant bien souvent un état d'esprit de violence, de peur ou d'insatisfaction, les coutumes, les traditions familiales, ou tout simplement un amour sincère sur une toile de fond ambiguë maintiennent une cohésion qui mérite souvent (?) qu'on lui sacrifie notre être profond. Tant de fils et filles n'osant s'opposer à la volonté sacrée de parents, et pire, reprenant à leur propre compte des traditions familiales qu'ils auraient tant aimé détruire.

Tant de façons par contre de s'opposer courageusement à cette emprise qui n'aboutissent qu'à lui faire revêtir une forme différente. Ces adolescents aux révoltes si tôt disparues... Ces moutons noirs qui fuient pays, familles, responsabilités et qui se trouvent emprisonnés dans la solitude née de l'incompréhension et le remord issu de la fuite. Ou encore ces tentatives avortées de ceux qui, fuyant sans fuir, acceptant sans accepter, deviennent leur propre geôlier dans une prison mentale, de la dépression chronique à la schizophrénie, ne pouvant pas plus abandonner les valeurs familiales que s'y conformer.

Ces mémoires familiales sont le carrefour de plusieurs routes. Devenues tellement humaines et liées à ces événements que nous vivons, nous pouvons n'en saisir que les faits, les interrelations, les traumatismes qui en découlent, toute cette absurde logique réaliste qui rend malheureux un adulte en souvenir de son enfance. Voie privilégiée des thérapeutes et psychologues, elles suffisent bien souvent à délivrer la personnalité des réactions émotives et des attitudes mentales inappropriées. L'être humain n'existe plus alors qu'en interrelation avec lui-même, ses proches et la vie terrestre qui se déroule devant lui.

Une autre voie s'offre, celle que j'ai choisie : considérer ces manifestations humaines, émotives et comportementales comme l'expression d'un chassé-croisé d'états d'esprit, qui eût pu se traduire en mille et un contes et qui a choisi justement l'histoire d'une vie. Les événements ne sont alors qu'accrocs dans une toile que nous voudrions parfaite et si l'accroc s'élargit au point de nous rendre vulnérable, une question se pose... qui a tiré le premier fil ?

Ce premier fil, bien des approches iront le chercher au-delà de la psychologie quand celle-ci se heurte à ses limites. Là encore tout un éventail de voies, depuis la psychologie transpersonnelle jusqu'aux régressions de vies antérieures en passant par les spiritualités d'hier et d'aujourd'hui. Ces voies sont trop humaines à mon goût, qui font reculer la personnalité à mille ans passés mais restent toujours dans la prison de l'individualité, qui dépassent l'être humain par la divinité mais qui appliquent à ce monde de l'au-delà les mêmes pensées et hiérarchies que les sociétés terrestres.

Ce premier fil, je le cherche dans son expression la plus impalpable, ce léger geste qui peut faire dévier le devenir du monde et le nôtre. Rappelez-vous notre chapitre sur les jeux : une tendance renouvelée à dévier à droite peut devenir grave quand elle devient facilité à se distraire de son but ou bien encore mouvement incontrôlé vers la droite, qui sur la route peut mettre fin à notre vie. Une fois encore, ce geste manqué, ce déséquilibre d'un corps, ce ressenti difficile d'une sensation peut trouver mille et une explications suivant qui l'observe, de l'homéopathe à l'osthéopathe, de l'acupuncteur au chiropraticien, du guérisseur au maître de reiki, ou moi, qui ne verrais pas dans ce geste l'être humain, mais le vent qui pousse l'être humain. Finalement, caricaturant mon propre travail, je pourrais presque avancer que je m'occupe plus de « climatologie » que de psychologie.

Et bien entendu, un peu comme Gide et son « famille je vous hais » je vais voir ces mémoires ancestrales plutôt noires. Noires au sens de lourdes, lourdes au sens de gravitation terrestre, comme si ces vents de haine, de peur, de tristesse... ont cette matérialité qui les rend si accessibles à l'être humain que nous sommes, même si celui-ci, par une réaction instinctive et souvent inconsciente, les habille des qualités de la famille : solidarité, convivialité, amour, etc. C'est ainsi que dans ma façon souvent sans nuance de parler, j'ai coutume de dire que nos mémoires familiales, déjà presque « matérielles », « génétiques », ont la main-mise sur la plus grande partie de notre développement physique, à travers les ressemblances de visage, de corps, de métabolisme et du développement de notre personnalité, traits de caractère, tendance à la dépression, à la colère ou à l'hyperactivité.

Ainsi ne sommes-nous pas nous-mêmes dès le début de notre vie mais bien plutôt la continuation d'une famille dont le cadre nous fait oublier qu'avant nos père, mère et ancêtres, la vie nous vient de beaucoup plus loin à travers l'évolution de l'univers et, qui sait, d'un Dieu. Quitter sa famille, son pays... revient alors à se dégager de ces mémoires collectives figées dans un contexte trop humain puis de vivre la même vie ou une vie par nous choisie ; cette fois-ci non plus sur les cadres élaborés par les hommes qui veulent tant garder cette étincelle de vie et qui n'en ont préservé que l'apparence dans un foyer éteint, mais sur ce mouvement de la vie, toujours présent, toujours impalpable qui au delà des cadres peut animer chacune de nos pensées et chacun de nos actes, les baignant dans cet amour et ce respect que l'on apprend de force dans la famille et que l'on applique souvent à contre cœur.

Réfléchissons... combien de Noël passés en s'efforçant de ne vexer personne, de contenter tout le monde, quitte à piétiner nos propres désirs ou ceux d'un conjoint ? Est-ce de l'amour, ou une faiblesse déguisée en amour qui finit bien souvent par mécontenter tout le monde... jusqu'au prochain Noël.

Ces mémoires familiales pouvaient être déjà difficiles à percevoir sous le masque de notre personnalité bâtie solidement sur des convictions que nous croyons individuelles. Les autres mémoires collectives qui s'éloignent de plus en plus deviennent à peine perceptibles et exigent plus de douceur et de sensibilité intuitive pour se faire reconnaître. De moins en moins compromettantes, elles nous laissent alors plus de choix dans notre propre vie. Je veux dire par là que nous sommes moins impliqués comme Français ou Québécois que comme fils de notre famille, moins comme homme ou femme que comme Français ou Québécois, moins comme maillon de l'univers que comme homme ou femme.

Et alors, ô miracle. Derrière ces toiles de fond plus nuageuses apparaissent timidement une joie, une liberté, une plénitude qu'il ferait si bon ramener au niveau de notre quotidien à travers nos mémoires familiales.

Et c'est ainsi qu'une personne « destructrice » par vent d'état d'esprit dans sa propre famille peut devenir « vulnérable » toujours par état d'esprit puis, allant de plus en plus profondément, devenir « amoureuse » et voir se manifester dans la vie de tous les jours cet amour devenu expression artistique, sérénité profonde ou joie... dans la famille, cette fois-ci choisie, acceptée, aimée. Un peu comme ces toiles dont on ne sait laquelle est la première, la repeinte, la grattée mais qui dégagée, se révèle être toile de maître.

Et nous, nous voudrions tous être toile de maître.

Accepter ou lutter ?

Une page se tourne. Il faudrait ne garder que l'état d'esprit, ce que j'ai saisi de l'éternité et que j'ai, maladroitement peut-être, selon ma culture, mes connaissances, ma formation, exprimé. Surtout ne la figez pas, que ce soit pour la critiquer ou pour l'apprécier. Laissez-la et laissez-nous continuer notre chemin.

Finalement il faudrait ne garder que l'essentiel : cette dualité état d'esprit/émotivité, d'où nous venons, où nous allons car c'est là que va se jouer la joute suprême. Quelle attitude prendre devant la vie : accepter ou lutter ?

Nous sommes décidément à l'ère de la combativité à tout prix. Corps à corps, cœur à cœur, mot à mot, mur à mur, œil pour œil, coup pour coup, dent pour dent, tout s'unit en nous vers une réaction qui repousse l'assaillant, qui nous venge de l'assaut, refuse le destin, ou s'y soumet avec rage. Loi du talion élargie démesurément depuis le temps où elle était loi érigée par des hommes pour des hommes dans un désir d'équivalence et de justice. Élargie au corps lorsque, épuisé de résister, étouffé d'adrénaline, notre cœur s'arrête, nos muscles n'obéissent plus et les articulations se raidissent. La lutte, l'instinct de survie d'un corps qui refuse de mourir ne sont-elles pas parfois une façon de mourir un peu plus vite ou de vivre un peu plus longtemps mais surtout plus douloureusement ?

Loi du talion élargie à l'esprit et au cœur quand la vengeance enseignée dès le jeune âge, masquée par le désir de « ne pas se laisser faire » nourrit une impuissance rageuse ou une rancœur dévorante. Réaction logique, la violence vis-à-vis de la violence ne devient-elle pas parfois un moyen de mourir un peu plus vite d'illusions perdues et de haine démesurée ? N'est-ce pas une façon aussi de ce faire le reflet fidèle de celui qu'on condamne et de laisser se perpétuer haine et violence ?

Il existe pourtant sous les cieux une autre sagesse, sagesse des planètes, sagesse de la nature, sagesse du monde vivant.

A-t-on jamais vu une mouette résister au vent ? Elle se laisse emporter, fétu de paille, puis se joue de la brise pour aller où elle désire...

Sagesse des arts martiaux ? A-t-on jamais vu un escrimeur réagir brusquement ? Non, il attend, il laisse venir l'ennemi si proche, si proche qu'au dernier moment quand tout semble fini, il pare puis riposte sans violence mais sans se laisser atteindre.

Sagesse de cette voie du milieu, du Tao, sagesse du Christ, d'hommes et de femmes qui ont aussi essayé de ne pas réagir trop fort mais d'agir tout de même et qui ont mené cette sagesse jusqu'au bout de leurs convictions et parfois même de leur vie.

Cette sagesse se nomme acceptation et c'est la sagesse d'hommes qui ne sont pas pressés, pour qui le temps se mesure en milliards d'années, non pas en minutes, qui vous affirment que le monde ne fait que commencer, et qui croient encore qu'un jour viendra...

Dans la « vraie vie », la nôtre, lutter signifie faire connaissance avec soi-même, plonger au fond de sa jeunesse, de ses doutes, ne pas se laisser faire par l'adversité, qu'elle ait nom le conjoint, le patron, la maladie, le chien.

À la clé de cette lutte, la volonté, arme bien connue valorisée à travers les siècles jusqu'à nos jours où elle est à la base de toute pensée positive, de réussite scolaire et professionnelle, de combat devant la maladie. Elle peut tout, dit-on et me voici encore l'avocat du diable en avançant qu'une volonté trop forte peut devenir destructive par son manque de discernement. Nous faisant croire que nous sommes maître absolu de notre vie, que notre pensée peut tout et que nos efforts seront toujours récompensés s'ils sont sincères, elle nous condamne à une impuissance révoltée ou désespérée quand cette maladie en nous n'a pu guérir, quand nous n'avons pas connu l'abondance de biens ou quand notre vie ne s'est pas déroulée comme nous l'aurions voulu.

Enfin, et c'est peut-être le plus grave, sans faiblesse et sans compromis, elle nous a peut-être privé de cette aisance à défaut d'abondance, de ces moments heureux malgré la maladie ; ou voulant faire de nous un héros, elle nous a laissé attendre toute la vie un ennemi qui n'est jamais venu mais qui a tout détruit en nous.

Plus qu'une volonté farouche, je souhaite à chacun un désir, qui n'est ni velléitaire, ni faible, mais peut-être plus souple, plus attentif à ce qui nous environne, nous laissant le choix de concilier nos envies avec ce que nous offre la vie. Et cette façon d'être, je l'applique à toutes les circonstances, ne serait-ce que parce que vouloir moins fort psychiquement, c'est ne pas donner prise à ce qui nourrit de plus près nos états d'être, ces mémoires ancestrales, qui comme chacun sait, sont lourdes de peur et de violence, nous faisant glisser insensiblement du désir d'obtenir à la crainte de perdre ou à la rage d'avoir.

Certes, combattre est une attitude hautement valorisée et hautement respectable, dans la mesure où elle reste applicable.

Car est-elle applicable face à ces conditions géoclimatiques de la toile de fond ? Lutter de plein pied contre l'ouragan est-il une preuve d'intelligence ou d'inconscience ? Combattre le froid en refusant sa présence est-il marqué par le succès ou par la pneumonie ? Combattre face à l'éternité est un combat perdu d'avance. Demandons au temples aztèques enfoncés dans la jungle si l'œuvre humaine résiste à l'éternité de la nature...

Lutter n'est plus l'avenir. Accepter devient une alternative. Mais accepter quoi ? Tout ce que l'on ne voit pas, se soumettre au vent, laisser rentrer la pluie, courber le dos sous la grêle ?

Acceptation ? Non. Soumission, s'enragent mes participants. Soumission sans doute, mais le combat inutile n'est qu'une soumission à plus long terme après épuisement et sans espoir de repos. Se dépêcher d'accepter consiste à tellement reconnaître l'ennemi, l'accueillir si bien, sans avoir rien perdu de ses forces que, même si l'on paraît vaincu s'offre alors, peut-être, presque toujours une chance de s'évader, d'agir.

J'ouvre ici une parenthèse, difficilement acceptable, ce concept m'a demandé, pour l'illustrer, un exercice complémentaire à ceux déjà présentés. Il s'agit d'un massage. Massage est un grand mot pour quelques points de pression qui n'ont aucune valeur ni médicale, ni de massothérapie. « Massacre » est d'ailleurs le surnom ironique qui lui est souvent donné.

Quelques points de pression sur le ventre d'un participant, allongé sur le dos. Aucune réaction, car aucune douleur.

— C'est la première étape de l'état d'esprit : ni perçu, ni exprimé mais frappant doucement et sans relâche durant des années et des années. À force, cela pourrait devenir une douleur, mais cela n'en est pas encore une ;

— Nous n'avons pas dix ans devant nous pour simuler cette pression douce et répétée qui ne deviendra douleureuse qu'au bout d'un temps indéterminé. Nous remplacerons donc pendant cette deuxième étape, la durée par l'intensité de la pression. Là, peu à peu nous passons d'une légère contraction, sentie par moi seule le plus souvent, à une sensation de plus en plus désagréable voire douloureuse. Par contre, si nous observons la façon d'être et le visage de la personne, nous voyons un être impassible, dans une attitude très polie et parfois même joyeuse. Selon ma compréhension je dirais que, par cette étape, nous rendons l'état d'esprit visible alors qu'il ne l'était pas. Visible au sens de contraction involontaire, au sens de cette tension générale qui risque de se propager vers notre cerveau, se traduisant en réaction émotive ou attitude mentale déplacée ;

— Survient la troisième étape, où cette fois-ci je vais m'obstiner dans des pressions brèves et répétées, mais pas nécessairement plus fortes. Ce n'est d'ailleurs plus la peine, car cet état de tension, d'agacement physique ou parfois de sensibilité douloureuse devient constant, envahissant le participant jusqu'à créer une certaine panique ou un certain désarroi. Transposé dans la vraie vie, ce processus est celui par lequel l'état d'esprit, endigué pendant de nombreuses années par un corps en santé et une volonté inébranlable finit par s'imposer, submergeant comme une vague ce que nous croyions inattaquable, notre personnalité ;

— La quatrième étape va nous permettre de désamorcer tout ce processus. Pour ce faire, nous allons changer les règles du jeu : tout d'abord, à l'instant où la douleur apparaîtra un tant soit peu (j'encourage une extrême sensibilité) un stop m'arrêtera immédiatement dans mon geste. Par contre, d'ici-là, je demande à mon participant de « tout accepter, se soumettre, renoncer à la lutte », autant de mots provocateurs qui paraissent insultes à ces chevaliers du combat.

Et, état d'esprit immuable de force et de violence, je recommence mon attaque.

Là tout peut changer. Plus ou moins vite selon chacun, mais bien souvent de façon spectaculaire, car le pouce peut aller au plus profond, dans un ventre détendu, sans que mon participant réagisse et ressente autre chose qu'une sensation de pression, aucunement liée à cette panique ou cet agacement du début. L'état d'esprit « le pouce » est toujours présent, toujours agressif. Mais nous n'y donnons plus prise et chacun continue son chemin, lui dans sa violence, nous dans nos désirs et convictions personnels.

Si nous nous amusons à transposer cet exercice dans la vraie vie, la lutte contre la toile de fond, mémoire issue de toute éternité, est aussi vaine que cette impuissance à se défendre contre mon pouce. Cette lutte devient au contraire le vecteur de propagation de cet état d'esprit vers une tension physique puis vers une tension émotive enfin vers une attitude mentale, entraînant dans son sillage toutes sortes de réactions émotionnelles par excès ou refoulement, toutes sortes de difficultés intellectuelles d'apprentissage, de prise de décision, de réflexion... Par contre, à l'instant où nous cessons de nous battre contre cet état d'esprit, nous lui enlevons tout pouvoir. Il existe toujours, puisque mon pouce est toujours présent mais il n'a plus prise sur l'être. Et celui-ci connaît la vraie liberté qui n'est pas crainte de l'envahisseur mais acceptation de sa présence, laissant toute latitude à l'individu de décider de sa propre vie, et d'agir, non plus de réagir, selon ses convictions.

Dégagé de cette crainte de l'envahisseur, il peut même nous arriver de constater que ledit envahisseur est ami et non ennemi, et qu'il peut, si c'est mon pouce, détendre musculairement ou débloquer énergétiquement, ou bien s'il s'agit de la vraie vie, ouvrir de voies nouvelles.

Lutter, ne pas se laisser faire est une étape pour qui découvre son petit monde, celui de sa famille, de sa vie terrestre.

Mais accepter devient élargir notre vie à l'éternité, à tout ce qui était, est et sera.

Et tout change. L'acceptation n'est pas une fin en soi, c'est une interrogation, c'est une constatation, c'est une façon de saisir l'impact que peut avoir l'ennemi sur nous, ou se rendre compte qu'il s'agit d'un ami.

Accepter, puis agir, non en fonction d'une immédiate logique mais d'une logique lointaine.

Accepter pour désamorcer ce réflexe qui nous maintient dans la vie terrestre et qui nous fait répondre en toute logique à la violence par la violence, qu'elle soit violence contre soi, dans la tension ou l'épuisement ou contre les autres, dans les gestes ou les paroles, qu'elle soit violence de bourreau ou de victime.

Telle est la philosophie que j'ai choisie. Philosophie présente de loin en loin à travers les arts martiaux, la religion, la vie d'hommes et de femmes, philosophie ridicule si on n'en prend qu'une partie, l'acceptation, sagesse profonde sous les cieux si on accepte d'être un peu moins humain, un peu moins coincé dans le temps et le nez sur ce qui nous paraît démesuré, une vie, et qui n'est qu'un bref soupir dans le souffle de l'éternité.

Le temps est notre pire ennemi quand il nous presse de vivre pour ne pas mourir. Quand nous ne savons plus mesurer notre temps que par les jours qui s'écoulent et par la vieillesse qui nous habite. Quand nous avons oublié que le temps humain est une caricature de l'éternité et qu'un saut de puce pourrait nous permettre de faire pénétrer l'immortalité dans notre temps.

Faire pénétrer l'immortalité dans le temps : notre corps vieillira bien sûr, mais si nous apprenions à nous ressentir au-delà d'un corps humain... Les hommes passent, ils disparaîtront, mais si nous acceptions d'emblée de ne pas être que des hommes... Le monde éclatera peut-être, mais si nous sourions à l'idée d'être au-delà du monde... et le monde renaîtra peut-être, et nous en ferons partie, sous une forme ou une autre, d'une mémoire à un souvenir, d'un état d'esprit à une atmosphère.

Accepter ce va-et-vient, cette éternelle transformation, ce cours du temps, cette évolution des âmes. Accepter tout, en continuant de vivre, voire même de lutter, car pour que le cours d'eau soit achevé, il faut des contre-courants, des marmites, des bas-fonds, des bassins, et nos vies terrestres sont ces à-côtés d'un temps qui ne dévieront tout de même pas le cours de la rivière.

L'être humain, quand il a conscience d'être (que ce soit une illusion ou pas) se trouve avec la perception de sa fragilité et de son immortalité, de son individualité et d'un tout auquel il prend part, d'une notion de temps et d'âge et d'une impression d'éternité.

Quel choix faire au vu et au su de ces états ? Faut-il lutter pour vivre ou s'abandonner à la vie ? Faut-il lutter pour ne pas mourir ou accepter la mort ? Faut-il « mourir sa vie ou vivre sa mort » ?

Ne rêvons pas, l'être humain ne pourra qu'imparfaitement unifier en lui ces appels du temps et de l'éternité, et s'efforcera, dans la même vanité, de retenir le temps qui s'écoule et de saisir l'insaisissable dont il est issu.

À chacun sa méthode ! C'est au minimum une double vie que nous devrions vivre pour saisir cette éternité en nous qui relativise chacun de nos faits et gestes, de nos drames et de nos passions et ce temps qui donne tant de prix aux jours qui s'écoulent, aux illusions perdues et à la peur de n'avoir rien fait de sa vie.

À chacun sa réponse à ces questions existentielles ! Deux grandes voies s'offrent à nous, qui nous offrent cette sagesse d'accepter et de concilier vie terrestre et vie au-delà de la vie terrestre. Nous pouvons obtenir cette sagesse à force d'expériences bien et mal vécues, à force de combats gagnés ou perdus, à force de réflexions, de décisions, d'essais. Régler ses différends, solutionner ses problèmes, travailler sur soi, prendre sa place, se respecter soi-même, lutter... sont les pavés de cette route qui deviendra une impasse si nous ne débouchons pas sur les autres et le monde. À quoi bon travailler sur soi si nous laissons les autres mourir en nous ?

Cette sagesse, nous pouvons l'aller chercher dans une vie spirituelle. Émus sans le connaître par ce qui nous dépasse, nous pouvons l'accueillir, le rechercher, nous en laisser envahir et accepter d'être peu de chose dans cette vibrance profonde.

Méditation, prière, don de soi, renoncement à être, acceptation... sont les pierres de ce chemin qui peut devenir lui aussi impraticable s'il ne débouche pas sur Soi dans une vie terrestre. À quoi bon prier si l'on ne peut plus tendre nos mains jointes à nos amis et ennemis ?

Et naturellement, à ceux qui ont choisi la deuxième voie, celle où l'acceptation est reine, l'on reproche l'immobilité voire même la soumission. Et à ceux qui, toujours en mouvement, ne savent plus profiter d'un calme serein, l'on reproche l'éternelle lutte et course contre la vie.

Nous nous sentons obligés de choisir entre l'un et l'autre et de mener notre vie sur l'un ou l'autre principe. Pourtant, à bien y regarder, ces notions de lutte et d'acceptation, prises séparément, apportent chacune le comble de l'illogisme et le comble de la sagesse au point de nous faire croire qu'il y aurait peut-être un temps pour l'acceptation et un temps pour la lutte...

La lutte ? Oui, mais quand la lutte devient intransigeance pour ceux qui ont choisi une autre voie ? Quand le combat pour la vérité, notion toute relative, devient combat contre les hommes ? Quand les guerres deviennent saintes mais que les morts restent des morts, quand les représailles sont justice mais que d'autres morts se rajoutent encore... La vérité, la justice humaine et le droit des hommes ne deviennent-ils pas dérisoires ?

« On ne peut tout de même pas laisser faire ! » s'exclament en chœur mes participants. Accepter les génocides, l'injustice, la tyrannie est inacceptable, nous sommes tous d'accord là dessus.

Mais n'est-ce pourtant pas ce que chacun d'entre nous est sur le point de faire, quand après une rage impuissante devant les massacres dans des pays proches ou lointains, nous passons à une indifférence justifiée (on ne peut pas porter le monde sur nos épaules) puis retournons apaisés, à nos affaires.

Fi de ces acceptations et de ces combats, qui se rejoignent dans leur vanité entraînant dans leur sillage ces termes de vengeance sacrée, justice de Dieu, sainte colère, louable indifférence derrière lesquelles on ne découvre, malgré l'hypocrisie qui les habille, ni justice, ni caractère sacré, ni louange, ni sainteté.

Rappelons-nous seulement l'histoire et soyons conscients que nous la faisons tous, à notre manière et qu'aucun d'entre nous n'est étranger à cette violence qui jaillit de place en place, de siècle en siècle à travers les mondes et les hommes.

La lutte ? Face à la maladie.

« Il y a toujours de l'espoir » dit-on. Toujours ? Oserions-nous dire toujours, dans un corps brisé, un esprit torturé, au cœur d'un cancer ? La lutte ne pourrait-elle pas dans certains cas, devenir la lâcheté que l'on reproche à l'acceptation ?

N'est-il pas parfois plus facile de continuer et d'encourager la lutte que de réfléchir à la mort de l'autre et à sa propre mort ? La peur n'est-elle pas alors toile de fond de cette attitude hautement louée qu'est le combat ? Attitude dont nous nous faisons complices, le médecin quand il n'ose pas dire, le patient quand il ne veut pas entendre, la famille quand elle ne veut pas croire, et quand tous s'organisent déjà, plus ou moins consciemment autour de l'absence, poursuivant tout de même une lutte perdue d'avance.

Accepter ne veut pas dire renoncer à guérir. « Attendre le pire et espérer le meilleur » n'est pas œuvre du mauvais œil ou visualisation négative. Cela peut être sagesse de celui qui a accepté le pire, qui n'en a plus peur et dont le combat, dénué de crainte pourra peut-être soulever des montagnes, qu'elles s'appellent guérison ou mort paisible.

Enfin, lutter, d'accord, mais quand les forces sont là ! Souvenez-vous de nos exercices où marcher vite et brusquement, courir, bander ses muscles, en un mot combattre nous permettait de conserver notre équilibre. Symboliquement c'est celà que nous exigeons de vieillards, pris dans cette tourmente et qui ne peuvent plus se hâter comme nous pour faire croire qu'ils tiennent encore debout. C'est cela que nous exigeons de gens faibles, handicapés, mentalement perturbés et qui n'ont peut-être pas cette force physique et mentale à mettre au service de la lutte.

Pourtant, voyons ces malades, ces enfants, forts de leur acceptation dans la douleur, qui nous donnent une leçon que nous n'écoutons pas, tout occupés à admirer ceux qui meurent à pleine peur et à pleine rage après avoir lutté jusqu'au bout. Et à l'extrême ne sommes nous pas coupables « d'enseigner » à des enfants malades et à des adultes notre rage de voir un enfant ou un adulte malades, de leur faire saisir cette injustice et de leur rendre tout plus difficile ?

Qu'est-ce que la lutte, qu'est-ce que l'acceptation quand l'une se déguise en l'autre et que l'autre se cache derrière l'une ?

Essayons plutôt de trouver notre propre équilibre. Renoncer à tous ces partis pris sans nuance, que l'on entend si souvent dès que nous parlons d'acceptation, à l'instant où nous désirons un peu moins combattre et vivre un peu plus libre.

Et pourquoi pas ? Atteindre les deux. Une acceptation qui devienne combat, un combat nuancé d'acceptation. Tous deux suivis d'une action, quelle qu'elle soit, dans le mouvement ou l'immobilité, dans les réalisations ou la prière, dans la poésie ou le travail.

Et surtout discerner… le temps n'est pas le même à la mesure d'une lutte ou d'une acceptation et pour déjouer le piège de l'un, ne tombons pas à pieds joints dans les sables mouvants de l'autre…

Des hommes l'ont vécu, l'ont senti. Tous ceux que leur nature rend « doubles » dans leur perception.

Christ disait : « Tends l'autre joue… » Antithèse du combat et porte ouverte à la lâcheté, si l'on n'en voit que l'immédiat. Ghandi souriait en répondant à la loi du Talion : « Œil pour œil est une loi qui finira par rendre le monde aveugle » et suggérait une non violence active. Tous ces poètes, musiciens, écrivains, philosophes, artistes, exprimant l'espoir à travers le désespoir, l'amour à travers ce qui nous paraît misérable, la pérennité de la vie derrière la pourriture du corps. Et tant d'autres, silencieux et effacés qui ne laissèrent pas de traces dans les écrits, dans les poèmes, les chansons mais dans une prière vite envolée ou dans un geste à peine esquissé.

Sont-ils idéalistes fous ces hommes, poètes de l'âme ou poètes de l'action qui dans leurs œuvres, parfois dans leurs actes s'efforcent de renoncer à cette loi du Talion ?

À court terme, ils sont certainement fous. Jugés lâches, ou mis dans la catégorie de « ceux qui n'ont jamais souffert » ou « qui ne savent pas de quoi ils parlent » ils accusent défaites après défaites. Ils n'ont pu ni abolir la souffrance, ni réprimer la violence, ils n'ont pas imposé de programme social. Mais à long terme, ne seraient-ils pas des combattants pacifiques qui laissent une trace au fond de notre cœur et esprit ? Ne sèment-ils pas les germes d'une autre vie pour soi et pour les autres ? Une vie qui commence à l'envers quand on accepte de ne pas survivre pour attendre de vivre, de mourir au temps pour renaître à l'éternité.

Ne sont-ils pas au fond plus proches de nous que nous le croyons ?

Après tout, qui d'entre nous ne voudrait pas aimer sans contrainte ni peur ? Qui ne voudrait pas croire sans être jugé et prier sans être montré du doigt ? Qui ne voudrait pas être en paix avec le monde entier, avec ses propres problèmes, qui n'est pas convaincu qu'haïr ne sert qu'à détruire et que se débattre ne sert pas qui veut bâtir. Qui n'est pas saturé de luttes à tout prix qui entraînent avec leur logique infaillible, un manque d'espoir en la vie et une perte de foi en l'humanité ?

Si nous ne sommes pas philosophes, si nous n'avons pas l'héroïsme en nous, si nous sommes des gens de tous les jours, ceux qui ne veulent pas changer le monde mais y vivre, qui ne veulent pas détruire la haine mais juste ne pas la laisser se propager... il nous reste quelque chose à faire.

Des exercices sur nous-mêmes qui nous permettent sans contrainte et sans enjeu, sans sens du ridicule ni discussions oiseuses, d'expérimenter ce qu'est une acceptation du fond du cœur en espérant que peu à peu, cette réalité d'être se transpose dans notre façon de vivre.

Dissocier les événements de la toile de fond sur laquelle ils glissent, ne saisir que le mouvement général, l'apprivoiser puis seulement après, lorsqu'on aura pesé le pour et le contre, le possible et l'impossible, décider d'agir, découvrant alors qu'une volonté humaine implacable et exigeante pour tout de suite n'a pas l'importance que l'on croit aux yeux du lendemain. Renoncer à l'acte vengeur est fou si l'on considère le peu de temps que nous avons à vivre mais sage si justement nous considérons le peu de temps que nous avons à vivre.

Imager cette dualité est ce que j'ai essayé de réaliser tout au long de ces exercices d'acceptation.

— Imager l'éternité en coupant l'exercice de tout enjeu émotif et de toute réalité de vie. En fermant les yeux pour que pénètre plus en nous l'insécurité, porte ouverte à la toile de fond ;

— Représenter le temps par notre volonté d'agir dans un sens déterminé ;

— Concilier les deux : sans instinct de survie, sans réaction brutale, afin d'agir sans réagir sur une toile de fond, qui parfois ne nous permettrait pas de nous réaliser, mais perdra un peu de son pouvoir si nous n'y donnons plus prise ;

— Transposer dans la vraie vie cette attitude et cet entraînement acquis parfois difficilement, jamais pour toujours, mais toujours à redécouvrir au fil des circonstances et des années.

Croire qu'à force d'accepter une musique inaudible si douloureuse, nous pouvons aborder cette vie noire de rancœur et lui offrir une lumière naissante.

Qu'à force d'accepter une démarche maladroite plutôt que de foncer pour la cacher, nous viendrons à bout d'accepter la peur d'agir et agirons, avec un peu de peur encore, mais aussi avec l'assurance née de notre propre faiblesse.

Qu'à force de toucher du doigt fèves et haricots, sans brusquerie ni geste interrompu, nous cesserons d'écraser celui qui ne pense pas comme nous ou de rêver notre vie dans la lune.

Qu'à force de ne plus réagir en sursaut ni en douleur à l'agression d'un «pouce» dans le ventre, nous saurons, avant de répondre au coup pour coup jauger la situation et peut-être dévier notre violence.

Accepter, cette fois-ci non plus le pouce, mais la vie avec ces horreurs et ces grandeurs qui parfois se confondent en nous quand nous n'acceptons plus ni les uns ni les autres.

Accepter, non pas les images insupportables qui peuvent nous hanter jour et nuit, non pas ces émotions montées à la gorge qui ont goût d'amertume ou d'acidité. Accepter ces faits comme une douleur, quitte à la réveiller dans notre organisme où elle s'est endormie après avoir envahi notre psychisme. Accepter les événements comme une souffrance qui n'a pas de sens caché, ni de mauvaise intention à notre égard, qui n'a pas d'autre forme que la douleur.

Peut-être d'ailleurs selon notre cheminement, est-il bon un jour de ne plus nommer, voir et analyser des faits mais de ne saisir que la violence, l'amour, la peur... de ressentir qu'ils étaient déjà là de toute éternité et que nous les avons abrités le temps d'une vie. Qu'ils ne sont pas nôtres mais que nous avons été leurs.

Tout accepter, tout, sans exception, car l'acceptation ne s'arrête pas aux portes de l'inacceptable. Accepter la haine, l'injustice, la méchanceté, accepter le manque d'amour, accepter cette soif d'être aimé, accepter de mourir de soif, accepter cette horreur qu'est la vieillesse privée de sens, accepter la solitude, la mort, l'impuissance, accepter, accepter... jusqu'à ce que la révolte ne crie plus en nous, jusqu'à ce que nous soyons calmes dans l'injustice, «la faim, la fatigue et le froid, toutes les misères du monde, c'est par mon amour que j'y crois» disait Aragon, dans un premier temps, afin de ne pas laisser résonner ces drames sur notre toile de fond, commune à tous qui répond à la violence par la violence, à la tristesse par la tristesse. Oublier qui est violent, qui est coupable, qui est innocent, mais ne se consacrer qu'à la douleur née en nous.

Accepter, puis agir, contre les guerres mais en sachant que nous ne valons guère mieux que les belligérants, contre les injustices, mais en acceptant nos propres injustices, contre les meurtriers, mais en reconnaissant ce désir de tuer parfois en nous, avec indulgence pour eux comme pour nous, avec compassion pour nous comme pour eux.

Ou agir toujours, mais par le silence et sans un geste, quand le pardon semble être notre voie. Une faute pardonnée à l'autre est moitié moins douloureuse en soi, si cette bienveillance s'appuie sur une profonde acceptation de tout l'être et non sur une conviction psychique ou chrétienne qui risque fort de n'être qu'un « je pardonne mais je n'oublie pas ».

Accepter n'exclut pas la colère, ni la fermeté, ni même la force quand vient le temps d'agir. Ce ne sont plus alors que langages différents qui, sur ce fond d'acceptation, prennent leur place. Un langage de colère, sur un tel fond d'amour… une douceur timide, mais sur un tel fond de force… la nature est prodigue de ce qu'elle nous offre en fait de fruits, elle l'est tout autant en fait de nature humaine. Et plutôt que de changer un coléreux en doux, j'essaie de faire doux et coléreux s'appuyer sur un état d'esprit d'acceptation.

Puis peut-être verrons-nous mieux se dégager d'autres toiles, à travers ce monde de la nature qui exige moins des hommes que les hommes n'exigent de lui (aussi bien pour le protéger avec rage que le détruire avec inconscience), à travers ces mondes animaux, pourquoi pas minéraux, jusqu'à cette toile de fond, immense et inconnue, secrète et déjà familière, que nous espérons comme un repos et que nous rejoignons par la prière quand ce n'est plus nous qui prions et par la contemplation quand ce n'est plus nous que nous contemplons.

Quant à modifier ces toiles de fond parasites qui nous empêchent de rejoindre facilement ce «paradis», oublions bien vite cela. Nous n'en dégagerons pas nos enfants, ni nos ascendants, ni nous-mêmes; elles pourront prendre forme à travers une maladie invaincue, un enfant récalcitrant, une circonstance tragique. Tout au plus, pouvons-nous léguer notre façon de ne pas y avoir donné prise ou encore faire de nos défaites humaines une victoire de l'acceptation.

Accepter en même temps les défaites, les impuissances, les joies et les peines, se remettre jour après jour à l'ouvrage. Et alors, comme un lever de soleil, sentir une paix à défaut d'une joie, une sérénité à défaut d'un enthousiasme et agir alors, dénué de tourment ou de violence, agir fort mais sans attente, agir pour l'éternité, plus juste pour l'instant présent et finalement, dire merci pour le tout ensemble.

Montréal, le 15 janvier 1995.

Postface

Est-ce à moi seule de conclure ? Peut-être que non.

Un dernier sourire à mes participants qui, sur un plateau d'argent, m'ont apporté leurs peurs, leurs révoltes, leur amour, dont je me suis inspirée pour retrouver chez moi intacts leur désespoir et leur espoir, notre impuissance et nos doutes, puisant tous à la même source du monde.

Table des matières